초등 수학 핵심파트 집중 완성

고고특강

초3

C3

자료의 정리

사고력
문제해결력

측정·규칙성
자료와 가능성

에듀히어로
Edu HERO

"진짜 히어로는 우리 아이들입니다!"

에듀히어로는
우리 아이들이 밝고 건강한 내일을 꿈꿀 수 있도록
긍정적이고 효과적인 교육 서비스를 제공하는 것을
최우선 목표로 하고 있습니다.

그 존재만으로도 든든한 히어로처럼 아이들의 곁에서 힘이 되어주고,
나아가 아이들 각자가 스스로의 인생 속 히어로가 될 수 있도록

우리는 진심과 열정을 다해 아이들과 함께 할 것을 약속 드립니다.

네이버 카페
교재 상세 소개와 진단 테스트
및 유용하게 풀 수 있는
학습 자료를 다운로드 해 보세요.

인스타그램
에듀히어로 인스타그램을
팔로우하시면 다양한 이벤트와
신간 소식을 빠르게 만나보실
수 있습니다.

카카오톡 채널
자녀 수학 공부 상담 및
자유로운 질문을 남겨 주세요.
함께 고민하고
답변해 드리겠습니다.

히어로컨텐츠 HEROCONTENS

발행일: 2023년 1월   **발행인:** 이예찬

기획개발: 두줄수학연구소

디자인: 4BD STUDIO   **삽화:** 1000DAY

발행처: 히어로컨텐츠

주소: 서울특별시 금천구 서부샛길 632, 7층(대륭테크노타운5차)

전화: 02-862-2220   **팩스:** 02-862-2227

지원카페: cafe.naver.com/eduherocafe   **인스타그램:** @edu__hero   **카카오톡:** 에듀히어로

초등 수학 핵심파트 집중 완성 교과특강

수학을 잘 하기 위해서는 1) 수와 연산 2) 도형 3) 측정 4) 규칙성 5) 자료와 가능성 등 초등 수학 5대 학습 영역을 고르게 학습해야 합니다.

다른 교과 과목에 비해 많은 시간을 수학을 학습하는 데 할애하고 있지만 아쉽게도 대부분은 연산 영역에 편중되어 있습니다.

최근 들어 '도형' 등 연산 이외의 다른 영역으로 학습을 확장하는 교재들이 출간되고 있지만 여전히 학년별로 다양한 학습 영역과 필수 주제를 체계적으로 안내해 주는 학습지는 많지 않은 것이 현실입니다.

그런 이유로 교과특강은 학년별 필수 주제를 기본 개념부터 응용, 사고력까지 충분하게 학습하고 훈련할 수 있도록 개발되었습니다

수학을 잘 하고 싶은 학생들에게 노력한 만큼의 성장을 이루어내는 데 교과특강은 좋은 토양과 밑거름이 되어줄 것입니다.

초등 수학 핵심파트 집중 완성 교과특강은

1. '자료 해석 능력'을 집중적으로 키웁니다.

앞으로의 학습은 주어진 표와 그래프를 보고 그 의미를 해석하고 추론하는 '자료 해석 능력'을 요구합니다. 실제로 초등 전학년 뿐만 아니라 중등 과정에서도 '자료 해석'은 학습자의 문제해결력을 확인하는 중요한 소재가 되고 있습니다. 다양한 표와 그래프를 이해하고 해석하는 학습은 초등 과정부터 미리 준비하고 집중적으로 훈련할 필요가 있습니다.

2. '측정', '규칙성' 등 필수 영역임에도 쉽게 지나칠 수 있는 주제를 체계적으로 학습합니다.

길이, 무게, 시간, 어림하기 등 초등 과정에서 쉽게 지나치기 쉬운 '측정'과 추론 능력을 길러주는 '규칙성'을 집중적으로 학습합니다.

3. 복습과 예습으로 학년과 학년 사이의 징검다리 역할을 합니다.

1학년에서 2학년, 2학년에서 3학년, 3학년에서 4학년 등 학년이 올라갈수록 특정 영역에서 수학이 갑자기 어려워지는 순간이 옵니다. 교과특강은 각 학년에서 반드시 짚고 넘어가야 하는 주제를 복습하면서 다음 학년을 위한 예습까지 할 수 있도록 개발되었습니다.

4. 문제해결력과 사고력을 길러줍니다.

기본적인 개념을 바탕으로 이를 응용하고 활용하는 문제해결력과 생각하는 힘을 길러줍니다.

초등 수학 핵심파트 집중 완성 **교과특강**은

7세부터 6학년까지 총 7단계 21권(단계별 3권)으로 구성되어 있으며 각 권은 하루에 1장씩 주 5회, 총 4주간 체계적으로 학습할 수 있습니다.

매주 5일차의 학습이 끝난 뒤엔 '생각더하기'를 통해 창의력과 사고력을 기르고, 4주의 학습이 끝난 뒤엔 '링크'와 '형성평가'로 관련 주제를 학습하고 교과 수학을 완성할 수 있습니다.

대 상	단 계	구 성
7세 ~ 1학년	P	P1, P2, P3
1학년	A	A1, A2, A3
2학년	B	B1, B2, B3
3학년	C	C1, C2, C3
4학년	D	D1, D2, D3
5학년	E	E1, E2, E3
6학년	F	F1, F2, F3

〈교과 수학 시리즈 C단계 로드맵〉

에듀히어로의 교과 수학 시리즈를 체계적으로 학습하기 위한 로드맵입니다.

예습을 하며 집중적으로 학습하려면 '영역별 집중 학습'을,

교과서 진도에 맞추어 학습하려면 '교과 진도 맞춤 학습'을 권장드립니다.

[영역별 집중 학습]

1월	2월	3월	4월	5월	6월
교과연산 C0 / 교과도경 C1	교과연산 / 교과도경 C2	교과연산 / 교과도경 C3	교과연산 / 교과특강 C1	교과특강 C2	교과특강 C3

[교과 진도 맞춤 학습]

1월	2월	3월	4월	5월	6월	7월	8월	9월	10월
교과연산 C0	교과도경 C1	교과연산	교과도경	교과연산 C2	교과특강	교과연산 C3	교과도경	교과특강 C2	교과특강 C3

교과특강은 교과 수학을 완성합니다.

주제별 학습

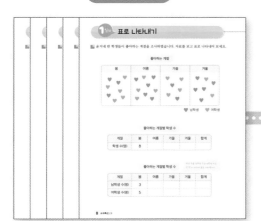

생각더하기

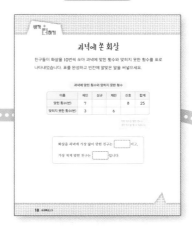

초등 수학을 주제별로 집중 학습합니다. 각 주차의 마지막에 있는 **생각더하기**로 문제해결력을 기릅니다.

링크

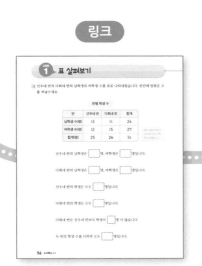

형성평가

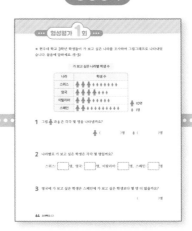

주제별 학습과 연결하여 사고력과 창의력을 향상시킬 수 있는 내용을 학습합니다.

2회의 형성평가로 배운 내용을 잘 알고 있는지 확인합니다.

이 책의 차례

1주차 표 ·························· 7

2주차 그림그래프 ·················· 19

3주차 그래프로 나타내기 ·········· 31

4주차 조건과 그래프 ·············· 43

링크 2가지 기준 ················· 55

형성평가 ·························· 63

1주차

표

1일차 표로 나타내기 ·························· 8

2일차 표 살펴보기 ·························· 10

3일차 표의 내용 (1) ·························· 12

4일차 표의 내용 (2) ·························· 14

5일차 표 완성하기 ·························· 16

생각 더하기 과녁에 쏜 화살 ·························· 18

표로 나타내기

📋 윤지네 반 학생들이 좋아하는 계절을 조사하였습니다. 자료를 보고 표로 나타내어 보세요.

좋아하는 계절

♥ 남학생　　♥ 여학생

좋아하는 계절별 학생 수

계절	봄	여름	가을	겨울	합계
학생 수(명)	8				

좋아하는 계절별 학생 수

> 학생 수를 남학생 수와 여학생 수로 한 번 더 나누어 표로 나타냅니다.

계절	봄	여름	가을	겨울	합계
남학생 수(명)	3				
여학생 수(명)	5				

■ 석우네 반과 지희네 반 학생들이 배우고 싶은 악기를 조사하였습니다. 자료를 보고 표로 나타내어 보세요.

배우고 싶은 악기

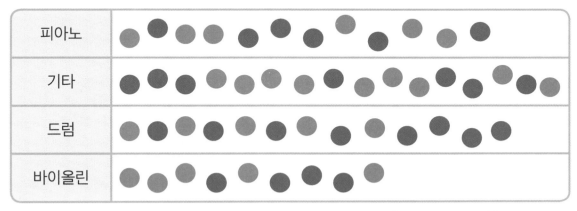

● 석우네 반 ● 지희네 반

배우고 싶은 악기별 학생 수

악기	피아노	기타	드럼	바이올린	합계
학생 수(명)					

배우고 싶은 악기별 학생 수

악기	피아노	기타	드럼	바이올린	합계
석우네 반 학생 수(명)					
지희네 반 학생 수(명)					

지예네 학교 3학년 남학생과 여학생 수를 표로 나타내었습니다. 빈칸에 알맞은 수를 써 넣으세요.

반별 학생 수

반	1반	2반	3반	4반	합계
남학생 수(명)	10	13	12	13	48
여학생 수(명)	12	10	15	13	50

1반의 남학생은 [ ]명, 여학생은 [ ]명입니다.

3반의 남학생은 [ ]명, 여학생은 [ ]명입니다.

2반 학생은 모두 [ ]명입니다.

남학생 수와 여학생 수가 같은 반은 [ ]반입니다.

3학년 전체에서 남학생은 [ ]명, 여학생은 [ ]명입니다.

3학년 학생은 모두 [ ]명입니다.

5월부터 8월까지 전자 제품 가게에서 팔린 에어컨과 제습기의 수를 표로 나타내었습니다. 올바른 말에 ◯표, 틀린 말에 ✕표 하세요.

월별 팔린 에어컨과 제습기의 수

월	5월	6월	7월	8월	합계
에어컨(대)	9	14	23	12	58
제습기(대)	8	10	11	18	47

6월에 팔린 에어컨은 14대입니다. ⋯⋯⋯⋯⋯⋯⋯⋯⋯⋯ ( )

7월에 팔린 제습기는 23대입니다. ⋯⋯⋯⋯⋯⋯⋯⋯⋯ ( )

8월에는 7월보다 에어컨이 더 많이 팔렸습니다. ⋯⋯⋯ ( )

5월에 팔린 에어컨과 제습기는 모두 17대입니다. ⋯⋯ ( )

8월에는 제습기가 에어컨보다 더 많이 팔렸습니다. ⋯⋯ ( )

5월부터 8월까지 제습기가 에어컨보다 더 많이 팔렸습니다. ⋯⋯ ( )

준수네 학교 3학년 학생들이 좋아하는 과일별 남학생과 여학생 수를 표로 나타내었습니다. 물음에 답하세요.

좋아하는 과일별 학생 수

과일	사과	포도	바나나	파인애플	망고	합계
남학생 수(명)	6	10	8	15	14	53
여학생 수(명)	9	14	8	10	12	53

남학생이 가장 많이 좋아하는 과일은 무엇인가요?　(　　　)

여학생이 가장 많이 좋아하는 과일은 무엇인가요?　(　　　)

전체 학생들이 가장 많이 좋아하는 과일은 무엇인가요?　(　　　)

사과를 좋아하는 학생은 15명입니다.

전체 학생들이 가장 적게 좋아하는 과일은 무엇인가요?　(　　　)

인규네 학교 3학년과 4학년 학생들이 가 보고 싶은 체험 학습 장소를 표로 나타내었습니다. 물음에 답하세요.

가 보고 싶은 체험 학습 장소별 학생 수

장소	박물관	동물원	수목원	과학관	합계
3학년 학생 수(명)	13	30	20	22	85
4학년 학생 수(명)	23	18	13	31	85

3학년 학생들이 가장 많이 가 보고 싶은 장소부터 차례로 써 보세요.

(, , ,)

4학년 학생들이 가장 많이 가 보고 싶은 장소부터 차례로 써 보세요.

(, , ,)

3학년과 4학년 학생들이 가장 많이 가 보고 싶은 장소부터 차례로 써 보세요.

(, , ,)

■ 해송 마을과 푸름 마을에 있는 종류별 나무 수를 표로 나타내었습니다. 물음에 답하세요.

마을에 있는 종류별 나무 수

종류	소나무	느티나무	참나무	은행나무	합계
해송 마을에 있는 나무 수(그루)	15	12	10	8	45
푸름 마을에 있는 나무 수(그루)	7	18	10	15	50

해송 마을보다 푸름 마을에 더 많이 있는 나무를 모두 써 보세요.

(   ), (   )

해송 마을에는 푸름 마을보다 소나무가 몇 그루 더 많은가요?

(   )그루

푸름 마을에는 해송 마을보다 전체 나무가 몇 그루 더 많은가요?

(   )그루

두 마을에 있는 나무는 모두 몇 그루인가요?   (   )그루

태희네 학교 3학년 학생들이 좋아하는 운동별 남학생과 여학생 수를 표로 나타내었습니다. 물음에 답하세요.

좋아하는 운동별 학생 수

운동	축구	태권도	줄넘기	배드민턴	합계
남학생 수(명)	22	20	10	13	65
여학생 수(명)	8	17	15	25	65

축구를 좋아하는 남학생은 배드민턴을 좋아하는 남학생보다 몇 명 더 많은가요?   (   )명

배드민턴을 좋아하는 여학생은 줄넘기를 좋아하는 여학생보다 몇 명 더 많은가요?   (   )명

태권도를 좋아하는 학생은 모두 몇 명인가요?   (   )명

전체 학생 중에서 축구를 좋아하는 학생은 줄넘기를 좋아하는 학생보다 몇 명 더 많은가요?   (   )명

지우네 반과 현수네 반 학생들을 대상으로 조사한 표입니다. 빈 곳에 알맞은 수를 써넣어 표를 완성해 보세요.

가 보고 싶은 나라별 학생 수

나라	영국	스위스	프랑스	덴마크	합계
지우네 반 학생 수(명)	8	9	5	6	
현수네 반 학생 수(명)	9	5		4	25

좋아하는 간식별 학생 수

간식	초콜릿	젤리	사탕	쿠키	합계
지우네 반 학생 수(명)		8	7	7	28
현수네 반 학생 수(명)	10	7	3	5	

태어난 계절별 학생 수

계절	봄	여름	가을	겨울	합계
지우네 반 학생 수(명)	4	5		9	28
현수네 반 학생 수(명)	5	6		6	25

주어진 표를 보고 빈 곳에 알맞은 수를 써넣어 표를 완성해 보세요.

학생들이 일주일 동안 읽은 책 수

이름	우현	지안	유나	민성	지혁	합계
책 수(권)	6	12	8	5	10	41

이름	우현	지안	유나	민성	지혁	합계
평일에 읽은 책 수(권)	4	8	3	1	8	24
주말에 읽은 책 수(권)	2					

받고 싶은 생일 선물별 학생 수

생일 선물	게임기	장난감	인형	자전거	신발	합계
학생 수(명)	15	18	10	9	8	60

생일 선물	게임기	장난감	인형	자전거	신발	합계
남학생 수(명)	12	9		5		
여학생 수(명)	3		7			29

과녁에 쏜 화살

친구들이 화살을 10번씩 쏘아 과녁에 맞힌 횟수와 맞히지 못한 횟수를 표로 나타내었습니다. 표를 완성하고 빈칸에 알맞은 말을 써넣으세요.

과녁에 맞힌 횟수와 맞히지 못한 횟수

이름	재인	성규	채린	진호	합계
맞힌 횟수(번)	7			8	25
맞히지 못한 횟수(번)	3		6		

맞힌 횟수를 알면 맞히지
못한 횟수를 알 수 있습니다.

화살을 과녁에 가장 많이 맞힌 친구는 [　　　]이고,

가장 적게 맞힌 친구는 [　　　]입니다.

2 주차 그림그래프

1 일차 그림그래프 보기 ········· 20

2 일차 표로 나타내기 ········· 22

3 일차 그림그래프의 내용 (1) ········· 24

4 일차 그림그래프의 내용 (2) ········· 26

5 일차 여러 가지 그림그래프 ········· 28

생각 더하기 마을에 사는 사람 ········· 30

현서네 반에서 일주일 동안 모둠별로 받은 칭찬 딱지의 수를 조사하여 그림그래프로 나타내었습니다. 빈칸에 알맞은 수를 써넣으세요.

모둠별 칭찬 딱지의 수

모둠	칭찬 딱지의 수
1모둠	⭐⭐★★★★★★★
2모둠	⭐★★★★★★★★★
3모둠	⭐⭐⭐
4모둠	⭐⭐★★

⭐ 10개
★ 1개

⭐은 10개, ★은 ☐개를 나타냅니다.

1모둠은 ⭐이 2개, ★이 6개이므로 칭찬 딱지를 ☐개 받았습니다.

2모둠은 ⭐이 ☐개, ★이 ☐개이므로 칭찬 딱지를 18개 받았습니다.

3모둠은 ⭐이 ☐개이므로 칭찬 딱지를 ☐개 받았습니다.

4모둠은 ⭐이 ☐개, ★이 ☐개이므로 칭찬 딱지를 ☐개 받았습니다.

김밥 가게에서 일주일 동안 팔린 종류별 김밥 수를 조사하여 그림그래프로 나타내었습니다. 빈칸에 종류별 김밥 수를 써넣으세요.

김밥 가게에서 팔린 종류별 김밥 수

종류	김밥 수
야채 김밥	
참치 김밥	
치즈 김밥	
불고기 김밥	

🍙 10줄　🥢 1줄

야채 김밥: [　] 줄

참치 김밥: [　] 줄

치즈 김밥: [　] 줄

불고기 김밥: [　] 줄

조사한 수를 그림으로 나타낸 것을 그림그래프라고 합니다.

퀴즈 대회에 참가한 학년별 학생 수

학년	학생 수
3학년	○○○○○○○○○○
4학년	○○○○○
5학년	○○○○○○○

○ 10명
○ 1명

퀴즈 대회에 참가한 학년별 학생 수

학년	학생 수
3학년	○○□○○
4학년	○○○○○
5학년	○○□

○ 10명
□ 5명
○ 1명

그림그래프를 볼 때는 **단위의 수**를 잘 살펴보아야 합니다.

오른쪽 그림그래프와 같이 단위가 많으면 더 간단히 그릴 수 있고, 한눈에 쉽게 비교할 수 있지만 단위가 헷갈릴 수 있으므로 주의해서 보아야 합니다.

그림그래프를 보고 표로 나타내어 보세요.

받고 싶은 선물별 학생 수

선물	학생 수
게임기	♥ ♥ ♡ ♡ ♡ ♡
자전거	♥ ♡ ♡ ♡ ♡ ♡ ♡
휴대 전화	♥ ♥ ♥ ♡ ♡
인형	♡ ♡ ♡ ♡ ♡ ♡ ♡ ♡ ♡

♥ 10명   ♡ 1명

받고 싶은 선물별 학생 수

선물	학생 수(명)
게임기	
자전거	
휴대 전화	
인형	
합계	82

과수원별 사과 수확량

과수원	수확량
햇살 농장	▣ ▢ ▢ ▢ ▢ ▢
초록 농장	▣ ▣ ▢ ▢ ▫ ▫ ▫
아름 농장	▣ ▢ ▢ ▢ ▫ ▫
누리 농장	▣ ▣ ▫ ▫ ▫ ▫ ▫

▣ 100상자 ▢ 10상자 ▫ 1상자

과수원별 사과 수확량

과수원	수확량(상자)
햇살 농장	
초록 농장	
아름 농장	
누리 농장	
합계	710

■ 그림그래프를 보고 표로 나타내어 보세요.

반별 빌린 책 수

반	책 수
1반	
2반	
3반	
4반	

📘 10권 📗 1권

반별 빌린 책 수

반	책 수(권)
1반	
2반	
3반	
4반	
합계	

미세먼지 상태별 날수

상태	날수
좋음	
보통	
나쁨	
매우 나쁨	

◎ 10일 ○ 5일 ○ 1일

미세먼지 상태별 날수

상태	날수(일)
좋음	
보통	
나쁨	
매우 나쁨	
합계	

가, 나, 다, 라 과수원의 사과 수확량을 조사하여 그림그래프로 나타내었습니다. 빈칸에 알맞은 수 또는 말을 써넣으세요.

과수원별 사과 수확량

과수원	수확량
가 과수원	🍎🍎🍏🍏🍏
나 과수원	🍎🍎🍎🍎🍏🍏
다 과수원	🍎🍎🍎🍏🍏🍏🍏🍏🍏
라 과수원	🍎🍎🍏🍏🍏🍏🍏🍏🍏

🍎 100 kg
🍏 10 kg

가 과수원에서 수확한 사과는 [ ] kg입니다.

가와 라 과수원 중에서 사과를 더 많이 수확한 과수원은 [ ] 과수원입니다.

사과를 300 kg보다 더 많이 수확한 과수원은 [ ] 와 [ ] 과수원입니다.

사과를 가장 많이 수확한 과수원은 [ ] 과수원입니다.

사과를 가장 적게 수확한 과수원은 [ ] 과수원입니다.

현아네 학교 3학년부터 6학년까지의 학생 수를 조사하여 그림그래프로 나타내었습니다. 물음에 답하세요.

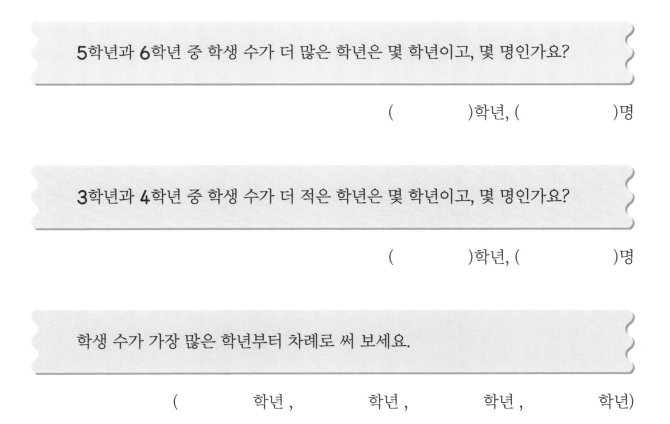

현아네 학교 학년별 학생 수

5학년과 6학년 중 학생 수가 더 많은 학년은 몇 학년이고, 몇 명인가요?

(　　　　　)학년, (　　　　　)명

3학년과 4학년 중 학생 수가 더 적은 학년은 몇 학년이고, 몇 명인가요?

(　　　　　)학년, (　　　　　)명

학생 수가 가장 많은 학년부터 차례로 써 보세요.

(　　　　학년,　　　　학년,　　　　학년,　　　　학년)

그림그래프의 내용 (2)

루아네 학교 **3**학년 학생들의 취미를 조사하여 그림그래프로 나타내었습니다. 빈칸에 알맞은 수를 써넣으세요.

취미별 학생 수

취미	학생 수
그림 그리기	☺ ☺ ☺ ☺ ☺ ☺ ☺
독서	☺ ☺ ☺ ☺ ☺ ☺
음악 감상	☺ ☺ ☺ ☺ ☺ ☺ ☺ ☺ ☺
운동	☺ ☺ ☺ ☺ ☺ ☺ ☺ ☺ ☺ ☺

☺ I0명
☺ I명

취미가 그림 그리기와 음악 감상인 학생은 모두 ☐ 명입니다.

취미가 운동인 학생은 그림 그리기인 학생보다 ☐ 명 더 많습니다.

취미가 독서인 학생은 음악 감상인 학생보다 ☐ 명 더 많습니다.

조사한 학생은 모두 ☐ 명입니다.

가장 많이 선택한 취미는 가장 적게 선택한 취미보다 ☐ 명 더 많습니다.

농장에서 하루 동안 수확한 채소를 조사하여 그림그래프로 나타내었습니다. 물음에 답하세요.

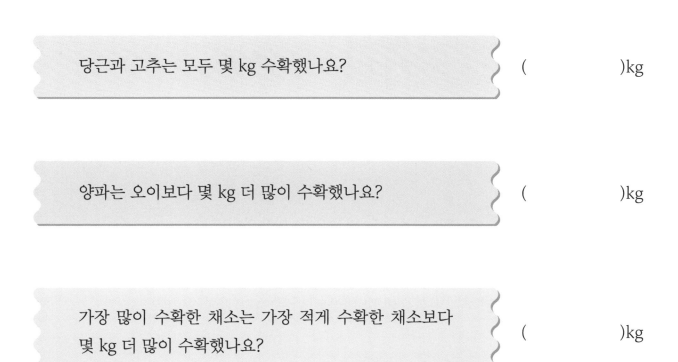

하루 동안 수확한 채소별 수확량

당근과 고추는 모두 몇 kg 수확했나요?   (   )kg

양파는 오이보다 몇 kg 더 많이 수확했나요?   (   )kg

가장 많이 수확한 채소는 가장 적게 수확한 채소보다 몇 kg 더 많이 수확했나요?   (   )kg

여러 가지 그림그래프

가, 나, 다, 라 마을에 있는 나무와 자동차 수를 조사하여 그림그래프로 나타내었습니다. 올바른 말에 ○표, 틀린 말에 ✕표 하세요.

마을별 나무와 자동차 수

| 가 마을 | 나 마을 |
| 다 마을 | 라 마을 |

🌳 나무 10그루
🌿 나무 1그루
🚗 자동차 10대
🚙 자동차 1대

가 마을에 있는 자동차는 **24**대입니다. ⋯⋯⋯⋯⋯⋯⋯⋯ (   )

라 마을에 있는 나무는 **23**그루입니다. ⋯⋯⋯⋯⋯⋯⋯⋯ (   )

가와 **나** 마을 중에서 자동차가 더 많은 마을은 **나** 마을입니다. ⋯⋯ (   )

가 마을에 나무를 **13**그루 더 심으면 **다** 마을과 나무 수가 같아집니다. ⋯ (   )

네 마을에 있는 자동차는 모두 **104**대입니다. ⋯⋯⋯⋯⋯⋯⋯ (   )

■ 왼쪽 그림그래프를 보고 물음에 답하세요.

나와 라 마을 중에서 나무가 더 많은 마을은 어느 마을이고, 몇 그루 더 많은가요?

( )마을, ( )그루

가와 다 마을 중에서 자동차가 더 많은 마을은 어느 마을이고, 몇 대 더 많은가요?

( )마을, ( )대

나무가 가장 많은 마을부터 차례로 써 보세요.

(마을 , 마을 , 마을 , 마을)

자동차가 가장 많은 마을부터 차례로 써 보세요.

(마을 , 마을 , 마을 , 마을)

마을에 사는 사람

가, 나, 다 마을에 사는 남자와 여자 수를 조사하여 그림그래프로 나타내었습니다. 알맞은 말의 기호를 모두 써 보세요.

마을별 남자와 여자의 수

마을	남자 수	여자 수
가 마을	👤👤👤👤👤👤	👤👤👤👤👤
나 마을	👤👤👤👤👤👤	👤👤👤
다 마을	👤👤👤👤👤	👤👤👤👤👤👤👤👤

👤 10명
👤 1명

⊙ 가 마을에 사는 여자는 **32**명입니다.
⊙ 나 마을에 사는 남자는 **30**명입니다.
⊙ 다 마을에 사는 사람은 모두 **60**명입니다.
⊙ 가장 많은 사람이 사는 마을은 가 마을입니다.

(,   )

3 주차

그래프로 나타내기

1일차 자료 보기 ……………………… 32

2일차 표와 그래프 (1) ……………………… 34

3일차 표와 그래프 (2) ……………………… 36

4일차 그래프의 단위 ……………………… 38

5일차 단위 바꾸기 ……………………… 40

생각 더하기 좋아하는 치킨 ……………………… 42

12월의 날씨를 조사한 것입니다. 자료를 보고 표와 그림그래프로 각각 나타내어 보세요.

12월의 날씨

일	월	화	수	목	금	토
		1 ☀	2 ☀	3 ☁	4 ☀	5 ☁
6 ☂	7 ❄	8 ❄	9 ☀	10 ☀	11 ☁	12 ☀
13 ☁	14 ☂	15 ☂	16 ☁	17 ☁	18 ☀	19 ☁
20 ☀	21 ☁	22 ☁	23 ❄	24 ❄	25 ☁	26 ❄
27 ☀	28 ☀	29 ☁	30 ☀	31 ☁		

☀ 맑음
☁ 흐림
☂ 비 옴
❄ 눈 옴

12월의 날씨별 날수

날씨	맑음	흐림	비 옴	눈 옴	합계
날수(일)	11				

12월의 날씨별 날수

날씨	날수
맑음	☐ ☐
흐림	
비 옴	
눈 옴	

☐ 10일
☐ 1일

그림그래프에 그림을 그릴 때는 가장 큰 단위부터 그릴 수 있는 만큼 모두 그리고, 더이상 큰 단위를 그릴 수 없을 때 작은 단위를 그립니다.

성우네 학교 **3**학년 학생들이 태어난 계절을 조사한 것입니다. 자료를 보고 표와 그림그래프로 각각 나타내어 보세요.

태어난 계절

봄	여름	가을	겨울
卌 卌 卌 卌 卌 卌 卌 ///	卌 卌 卌 卌 卌 卌 卌 卌 //	卌 卌 卌 卌 卌 卌 卌 卌 卌	卌 卌 卌 卌 卌 卌

태어난 계절별 학생 수

계절	봄	여름	가을	겨울	합계
학생 수(명)					

태어난 계절별 학생 수

그림의 크기가 잘 구분되도록 그립니다.

계절	학생 수
봄	
여름	
가을	
겨울	

◎ 10명
○ 5명
○ 1명

표를 보고 그래프를 완성해 보세요.

겨울 방학에 가 보고 싶은 장소별 학생 수

장소	캠핑장	눈썰매장	얼음 축제	스키장	합계
학생 수(명)	14	35	23	13	85

겨울 방학에 가 보고 싶은 장소별 학생 수

장소	학생 수
캠핑장	◯ ◯ ◯ ◯ ◯
눈썰매장	
얼음 축제	
스키장	

◯ 10명　◯ 1명

학년별 모은 헌 종이의 무게

학년	1학년	2학년	3학년	4학년	합계
종이 무게(kg)	82	150	227	241	700

학년별 모은 헌 종이의 무게

학년	종이 무게
1학년	
2학년	
3학년	
4학년	

☐ 100 kg　☐ 10 kg　◯ 1 kg

표와 그래프를 각각 완성해 보세요.

좋아하는
간식별 학생 수

간식	떡	만두	핫도그	과자	합계
학생 수(명)	10		19		60

좋아하는
간식별 학생 수

간식	학생 수
떡	
만두	●○○○○
핫도그	
과자	●●●●○○

● 5명　○ 1명

반별 우유 급식을
하는 학생 수

반	1반	2반	3반	4반	합계
학생 수(명)		25		24	97

반별 우유 급식을
하는 학생 수

반	학생 수
1반	□ □ □ □
2반	
3반	□ ○ □ □
4반	

□ 10명　○ 5명　□ 1명

■ 도훈이네 학교 3학년 학생들이 좋아하는 한국 음식을 조사하여 표로 나타내었습니다. 표를 보고 그림그래프로 나타내어 보고, 빈칸에 알맞은 말 또는 수를 써넣으세요.

좋아하는 한국 음식별 학생 수

한국 음식	불고기	비빔밥	김치찌개	잡채	합계
남학생 수(명)	20	10	19	11	60
여학생 수(명)	22	7	14	17	60

좋아하는 한국 음식별 학생 수

한국 음식	학생 수
불고기	◯ ◯ ◯ ◯ ○ ○
비빔밥	
김치찌개	
잡채	

◯ 10명
○ 1명

학생들이 가장 많이 좋아하는 음식은 [   ] 이고, [   ] 명이 좋아합니다.

학생들이 가장 적게 좋아하는 음식은 [   ] 이고, [   ] 명이 좋아합니다.

농장별 고구마 생산량을 조사하여 표로 나타내었습니다. 표를 보고 그림그래프로 나타내어 보고, 빈칸에 알맞은 말을 써넣으세요.

농장별 고구마 생산량

농장	하늘 농장	누리 농장	가람 농장	해솔 농장	합계
밤고구마 생산량(kg)	160	300	150	240	850
호박고구마 생산량(kg)	260	80	150	210	700

농장별 고구마 생산량

농장	고구마 생산량
하늘 농장	
누리 농장	
가람 농장	
해솔 농장	

■ 100 kg
□ 10 kg

고구마 생산량이 400 kg보다 많은 농장은 [   ] 농장과 [   ] 농장입니다.

누리 농장보다 고구마 생산량이 적은 농장은 [   ] 농장입니다.

표를 보고 그림그래프를 2가지로 나타내어 보세요.

농장에 있는 종류별 동물 수

종류	닭	소	돼지	염소	합계
동물 수(마리)	27	5	12	18	62

농장에 있는 종류별 동물 수

종류	동물 수
닭	
소	
돼지	
염소	

△ 10마리
△ 1마리

농장에 있는 종류별 동물 수

종류	동물 수
닭	
소	
돼지	
염소	

△ 10마리
◯ 5마리
△ 1마리

표를 보고 그림그래프를 **2**가지로 나타내어 보세요.

월별 아이스크림 판매량

월	7월	8월	9월	10월	합계
판매량(상자)	82	90	65	46	283

월별 아이스크림 판매량

월	판매량
7월	
8월	
9월	
10월	

☐ 10상자
☐ 1상자

월별 아이스크림 판매량

월	판매량
7월	
8월	
9월	
10월	

☐ 50상자
☐ 10상자
☐ 1상자

그림그래프를 주어진 단위 수로 바꾸어 나타내어 보세요.

마을별 배추 생산량

마을	생산량
가 마을	◯ ◯ ◯ ○ ○ ○
나 마을	◯ ○ ○ ○ ○ ○ ○ ○ ○ ○
다 마을	◯ ◯ ○ ○ ○ ○ ○
라 마을	◯ ◯ ◯ ○ ○ ○ ○ ○ ○ ○

◯ 100포기
○ 10포기

↓

마을별 배추 생산량

마을	생산량
가 마을	
나 마을	
다 마을	
라 마을	

◯ 100포기
◖ 50포기
○ 10포기

■ 그림그래프를 주어진 단위 수로 바꾸어 나타내어 보세요.

자주 먹는 채소별 학생 수

채소	학생 수
호박	◉ ◯ ● ● ● ●
양파	◉ ◯ ◯ ◯ ●
당근	◉ ● ● ●
오이	◯ ● ● ● ● ● ● ● ● ●

◉ 50명
◯ 10명
● 1명

↓

자주 먹는 채소별 학생 수

채소	학생 수
호박	
양파	
당근	
오이	

◯ 10명
● 1명

좋아하는 치킨

윤아네 학교 학생들이 좋아하는 치킨 종류를 조사하여 표로 나타내었습니다.
표를 보고 적절한 그림과 단위의 수를 정하여 그림그래프로 나타내어 보세요.

좋아하는 치킨 종류별 학생 수

종류	프라이드	양념	간장	합계
학생 수(명)	252	325	303	880

종류	학생 수

명

명

명

4 주차 조건과 그래프

1 일차 단위 찾기 ································· 44

2 일차 표와 그래프 완성하기 ················· 46

3 일차 그래프 완성하기 ······················· 48

4 일차 조건과 그래프 (1) ···················· 50

5 일차 조건과 그래프 (2) ···················· 52

생각 더하기 좋아하는 과목 ······················· 54

■ 목장별 우유 생산량을 조사하였습니다. 표와 그림그래프를 보고 빈칸에 알맞은 수를 써넣고 그림그래프를 완성해 보세요.

목장별 우유 생산량

목장	푸른 목장	샛별 목장	나리 목장	하얀 목장	합계
우유 생산량(L)	320	180	270	230	1000

목장별 우유 생산량

목장	우유 생산량
푸른 목장	□ □ □ ■ ■
샛별 목장	
나리 목장	□ □ ■ ■ ■ ■ ■ ■ ■
하얀 목장	

□ ?L
■ ?L

□은 [　　] L, ■은 [　　] L를 나타냅니다.

수현이네 반에서 일주일 동안 모둠별로 받은 칭찬 스티커의 수를 조사하였습니다. 표와 그림그래프를 보고 빈칸에 알맞은 수를 써넣고 그림그래프를 완성해 보세요.

모둠별 칭찬 스티커의 수

모둠	1모둠	2모둠	3모둠	4모둠	합계
스티커 수(개)	39	50	45	42	176

모둠별 칭찬 스티커의 수

모둠	스티커 수
1모둠	◯ ◯ ◯ △ ○ ○ ○ ○
2모둠	
3모둠	
4모둠	◯ ◯ ◯ ◯ ○ ○

◯ ?개
△ ?개
○ ?개

◯은 [ ]명, △은 [ ]명, ○은 [ ]명을 나타냅니다.

하루 동안 햄버거 가게에서 팔린 종류별 햄버거 수를 조사하였습니다. 표와 그림그래프를 완성하고 빈칸에 알맞은 말을 써넣으세요.

하루 동안 팔린 종류별 햄버거 수

종류	치즈 버거	불고기 버거	새우 버거	더블 버거	합계
햄버거 수(개)	26			9	70

하루 동안 팔린 종류별 햄버거 수

종류	햄버거 수
치즈 버거	
불고기 버거	◎ ○ ○
새우 버거	
더블 버거	

◎ 10개
○ 1개

하루 동안 가장 많이 팔린 햄버거는 　　　　　입니다.

하루 동안 가장 적게 팔린 햄버거는 　　　　　입니다.

학교 체육관에 있는 종류별 공의 수를 조사하였습니다. 표와 그림그래프를 완성하고 빈칸에 알맞은 말을 써넣으세요.

학교 체육관에 있는 종류별 공의 수

종류	축구공	농구공	배구공	테니스공	합계
공의 수(개)					100

학교 체육관에 있는 종류별 공의 수

종류	공의 수
축구공	◯ ● ●
농구공	◯ ◯ ◯ ●
배구공	
테니스공	◯ ◯ ● ● ● ●

◯ 10개
◯ 5개
● 1개

테니스공보다 더 많은 공은 [   ] , [   ] 입니다.

25개보다 적은 공은 [   ] , [   ] 입니다.

조건을 보고 그림그래프를 완성해 보세요.

텃밭에 심고 싶은 작물별 학생 수

감자를 심고 싶은 학생은 고구마를 심고 싶은 학생보다 8명 더 적습니다.

작물	학생 수
감자	
고구마	△ △ △ △ △ △ △ △
옥수수	△ △ △ △ △ △ △
토마토	△ △ △ △ △

△ 10명 △ 1명

지역별 쌀 생산량

쌀 생산량은 다 지역이 나 지역보다 23 가마니 더 많습니다.

지역	쌀 생산량
가 지역	■ □ □ □ ■ ■ ■ ■ ■ ■
나 지역	□ □ □ □ □ □ □ □ □
다 지역	
라 지역	■ □ □ □ □ □ ■ ■

■ 100가마니 □ 10가마니 ■ 1가마니

조건을 보고 그림그래프를 완성해 보세요.

장래 희망별 학생 수

장래 희망	학생 수
의사	♡ ♡ ♡ ♡ ♡ ♡ ♡
요리사	
선생님	♡ ♡ ♡ ♡ ♡ ♡
경찰관	♡ ♡ ♡ ♡ ♡ ♡ ♡

조사한 학생은 모두 60명입니다.

♡ 10명　♡ 1명

마을별 자동차 수

마을	자동차 수
가 마을	◎ ◎ ○ ○ ○ ○ ○ ○
나 마을	◎ ○ ○ ○ ○ ○ ○ ○ ○
다 마을	◎ ◎ ○ ○ ○ ○ ○ ○ ○
라 마을	

라 마을 자동차 수는 나 마을 자동차 수의 2배입니다.

◎ 50대　○ 10대　○ 1대

■ 공원별 나무 수를 조사하여 그림그래프로 나타내었습니다. 물음에 답하세요.

공원별 나무 수

공원	나무 수
하늘 공원	🌳 🌳 🌳 🌲 🌲 🌲 🌲 🌲
안개 공원	🌳 🌳 🌲 🌲 🌲 🌲 🌲 🌲 🌲 🌲
호수 공원	🌳 🌳 🌳 🌳
새봄 공원	

🌳 10그루
🌲 1그루

새봄 공원은 안개 공원보다 나무가 13그루 더 많습니다. 새봄 공원의 나무 수를 나타내는 그림에 ◯표 하세요.

(   )   (   )

(   )   (   )

새봄 공원에 있는 나무는 하늘 공원에 있는 나무보다 몇 그루 더 많은가요?

(   )그루

■ 중국집에서 일주일 동안 팔린 종류별 음식 수를 조사하여 그림그래프로 나타내었습니다. 물음에 답하세요.

중국집에서 팔린 종류별 음식 수

종류	음식 수
자장면	🥣🥣🥣🥣🥣 🥄🥄🥄🥄🥄
짬뽕	🥣🥣🥣🥣🥣🥣🥣
볶음밥	
탕수육	🥣🥣🥣🥣🥣🥣 🥄🥄🥄

🥣 100그릇
🥣 10그릇
🥄 1그릇

팔린 짬뽕 수는 팔린 볶음밥 수의 **2**배입니다. 그림그래프에 볶음밥 수는 어떻게 그려야 할까요?

볶음밥 수는 🥣 을 ☐ 개, 🥣 을 ☐ 개, 🥄 을 ☐ 개 그립니다.

가장 많이 팔린 음식부터 차례로 써 보세요.

(,   ,   ,   )

📗 계절별로 비 온 날수를 조사하여 그림그래프로 나타내었습니다. 물음에 답하세요.

계절별 비 온 날수

계절	날수
봄	◯ ◯ ○ ○ ○
여름	
가을	
겨울	◯ ◖ ○ ○ ○ ○ ○

◯ 10일
◖ 5일
○ 1일

설명을 보고 그림그래프를 완성해 보세요.

- 여름에 비 온 날수는 봄에 비 온 날수의 **2**배입니다.
- 가을과 겨울에 비 온 날은 모두 **40**일입니다.

비 온 날수가 가장 많은 계절은 가장 적은 계절보다 며칠 더 많은가요?

(   )일

예준이네 학교 3학년 학생들이 만들고 싶은 요리를 조사하여 그림그래프로 나타내었습니다. 물음에 답하세요.

만들고 싶은 요리별 학생 수

요리	학생 수
떡볶이	
피자	♡ ♡ ♡ ♡ ♡
샌드위치	♡ ♡ ♡ ♡ ♡ ♡ ♡ ♡ ♡
김밥	

♡ 10명
♡ 1명

설명을 보고 그림그래프를 완성해 보세요.

- 떡볶이를 만들고 싶은 학생 수는 피자를 만들고 싶은 학생 수의 $\frac{1}{2}$입니다.
- 김밥을 만들고 싶은 학생 수는 샌드위치를 만들고 싶은 학생 수의 $\frac{1}{3}$입니다.

조사한 학생은 모두 몇 명인가요?

(　　　　　)명

좋아하는 과목

세희네 학교 3학년 학생들이 좋아하는 과목을 조사하였습니다. 조건을 보고 그림그래프로 나타내어 보세요.

> • 조사한 학생은 모두 100명입니다.
> • 수학을 좋아하는 학생은 27명입니다.
> • 국어를 좋아하는 학생 수는 수학을 좋아하는 학생 수의 $\frac{2}{3}$입니다.
> • 사회를 좋아하는 학생은 30명입니다.

좋아하는 과목별 학생 수

과목	학생 수
국어	
수학	
사회	
과학	

◎ 10명
○ 1명

링크 2가지 기준

LINK 1 표 살펴보기 ·············· 56

LINK 2 표 완성하기 ·············· 58

LINK 3 표의 내용 ·············· 60

선우네 반과 다희네 반의 남학생과 여학생 수를 표로 나타내었습니다. 빈칸에 알맞은 수를 써넣으세요.

반별 학생 수

반	선우네 반	다희네 반	합계
남학생 수(명)	13	11	24
여학생 수(명)	12	15	27
합계(명)	25	26	51

표의 가로와 세로가 나타내는 것이 무엇인지 살펴봅니다.

선우네 반의 남학생은 ☐명, 여학생은 ☐명입니다.

다희네 반의 남학생은 ☐명, 여학생은 ☐명입니다.

선우네 반의 학생은 모두 ☐명입니다.

다희네 반의 학생은 모두 ☐명입니다.

다희네 반은 선우네 반보다 학생이 ☐명 더 많습니다.

두 반의 학생 수를 더하면 모두 ☐명입니다.

수학과 과학 퀴즈 대회에서 지수와 건호가 받은 점수를 표로 나타내었습니다. 빈칸에 알맞은 수를 써넣으세요.

퀴즈 대회에서 받은 점수

퀴즈 대회	수학 퀴즈	과학 퀴즈	합계
지수의 점수(점)	80	75	155
건호의 점수(점)	90	70	160
합계(점)	170	145	315

지수는 수학 퀴즈에서 ☐ 점, 과학 퀴즈에서 ☐ 점을 받았습니다.

건호는 수학 퀴즈에서 ☐ 점, 과학 퀴즈에서 ☐ 점을 받았습니다.

퀴즈 대회에서 지수가 받은 점수는 모두 ☐ 점입니다.

퀴즈 대회에서 건호가 받은 점수는 모두 ☐ 점입니다.

퀴즈 대회에서 건호는 지수보다 ☐ 점 더 많이 받았습니다.

퀴즈 대회에서 두 학생이 받은 점수를 더하면 모두 ☐ 점입니다.

빈 곳에 알맞은 수를 써넣어 표를 완성해 보세요.

연우네 반 학생들이 좋아하는 음식별 학생 수

음식	한국 음식	외국 음식	합계
남학생 수(명)	9	7	16
여학생 수(명)	6	8	
합계(명)	15		

신발 가게에서 팔린 월별 신발 수

월	8월	9월	합계
운동화 수(켤레)	25	20	
슬리퍼 수(켤레)	19	23	
합계(켤레)			87

과수원별 과일 수확량

과수원	싱싱 과수원	으뜸 과수원	합계
사과 수확량(kg)	80	120	
배 수확량(kg)	100	50	
합계(kg)			

빈 곳에 알맞은 수를 써넣어 표를 완성해 보세요.

수호네 반 학생들이 좋아하는 활동별 학생 수

활동	실내 활동	실외 활동	합계
남학생 수(명)	5		13
여학생 수(명)		3	12
합계(명)	14	11	25

농장별 동물 수

농장	해들 농장	누리 농장	합계
소의 수(마리)	26	8	34
돼지의 수(마리)			
합계(마리)	39	41	80

마을에 있는 종류별 탈 것 수

마을	미소 마을	도담 마을	합계
자동차 수(대)	25		60
자전거 수(대)	38		52
합계(대)	63		

하늘 마을과 달빛 마을에 사는 남자와 여자 수를 표로 나타내었습니다. 물음에 답하세요.

마을별 사는 사람 수

마을	하늘 마을	달빛 마을	합계
남자 수(명)	27	20	47
여자 수(명)	25	22	47
합계(명)	52	42	94

하늘 마을에는 남자가 여자보다 몇 명 더 많은가요?

(   )명

마을에 사는 여자는 하늘 마을이 달빛 마을보다 몇 명 더 많은가요?

(   )명

하늘 마을과 달빛 마을 중에서 어느 마을에 사는 사람이 몇 명 더 많은가요?

[   ] 마을에 사는 사람이 [   ] 명 더 많습니다.

■ 은서네 학교 3학년 1반과 2반에서 안경을 쓴 학생과 쓰지 않은 학생 수를 표로 나타내었습니다. 물음에 답하세요.

반별 안경을 쓴 학생과 쓰지 않은 학생 수

반	1반	2반	합계
안경을 쓴 학생 수(명)	10	8	18
안경을 쓰지 않은 학생 수(명)	14	13	27
합계(명)	24	21	45

안경을 쓴 학생은 1반이 2반보다 몇 명 더 많은가요?

( )명

2반에서 안경을 쓰지 않은 학생은 안경을 쓴 학생보다 몇 명 더 많은가요?

( )명

두 반의 안경을 쓴 학생과 쓰지 않은 학생 중에서 누가 몇 명 더 많은가요?

안경을 (쓴 , 쓰지 않은) 학생이 [ ]명 더 많습니다.

memo

형성평가

1회 ·········· 64

2회 ·········· 66

※ 현우네 학교 **3**학년 학생들이 가 보고 싶은 나라를 조사하여 그림그래프로 나타내었습니다. 물음에 답하세요. (**1~3**)

가 보고 싶은 나라별 학생 수

나라	학생 수
스위스	👤👤👤🧍🧍🧍🧍🧍🧍
영국	👤👤👤👤🧍🧍🧍
이탈리아	👤👤👤🧍🧍🧍🧍
스페인	👤👤🧍🧍🧍🧍🧍🧍🧍🧍

👤 10명
🧍 1명

1 그림 👤과 🧍은 각각 몇 명을 나타낼까요?

🧍 (   )명   🧍 (   )명

2 나라별로 가 보고 싶은 학생은 각각 몇 명일까요?

스위스: [　] 명, 영국: [　] 명, 이탈리아: [　] 명, 스페인: [　] 명

3 영국에 가 보고 싶은 학생은 스페인에 가 보고 싶은 학생보다 몇 명 더 많을까요?

(   )명

※ 민서네 학교 3학년 학생들이 좋아하는 색깔을 조사하여 표로 나타내었습니다. 물음에 답하세요. (4~6)

좋아하는 색깔별 학생 수

색깔	노란색	초록색	파란색	보라색	합계
남학생 수(명)	8	16	26	15	65
여학생 수(명)	21	14	15	20	70

4 여학생이 가장 많이 좋아하는 색깔은 무엇일까요?

( )

5 초록색을 좋아하는 학생은 모두 몇 명일까요?

( )명

6 표를 보고 그림그래프로 나타내어 보세요.

좋아하는 색깔별 학생 수

색깔	학생 수
노란색	
초록색	
파란색	
보라색	

◯ 10명
● 1명

※ 주스 가게에서 일주일 동안 팔린 종류별 주스 수를 조사하여 그림그래프로 나타내었습니다. 물음에 답하세요. **(1~3)**

종류별 팔린 주스 수

종류	주스 수
오렌지 주스	
수박 주스	
딸기 주스	
바나나 주스	

10잔
5잔
1잔

1 오렌지 주스는 몇 잔 팔렸을까요?

( )잔

2 수박 주스와 바나나 주스 중 더 많이 팔린 주스는 무엇일까요?

( ) 주스

3 가장 많이 팔린 주스부터 차례로 써 보세요.

(주스, 주스, 주스, 주스)

※ 농장별 수박 수확량을 조사하여 그림그래프로 나타내었습니다. 물음에 답하세요. (4~6)

농장별 수박 수확량

농장	수확량
햇살 농장	🍉🍉🍉🍉🍉◦
하늘 농장	🍉🍉🍉◦◦◦◦◦◦
가온 농장	
샘터 농장	🍉🍉◦◦◦◦

🍉 100통

◦ 10통

4 샘터 농장에서 수확한 수박은 몇 통일까요?

(   )통

5 햇살 농장과 하늘 농장 중에서 수박을 더 많이 수확한 농장은 어느 농장이고, 몇 통 더 많이 수확했을까요?

(   ) 농장, (   )통

6 가온 농장은 샘터 농장보다 수박을 150통 더 많이 수확했습니다. 가온 농장에서 수확한 수박을 그림으로 알맞게 나타낸 것의 기호를 써 보세요

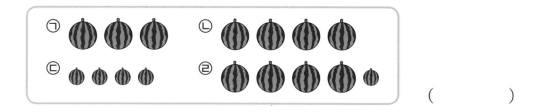

(   )

memo

초등 수학 핵심파트 집중 완성

교과특강

초3

C 3

자료의 정리

정답

사고력
문제해결력

측정 · 규칙성
자료와 가능성

에듀히어로
Edu HERO

정답

C3

자료의 정리

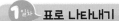

1주차: 표

1일차 표로 나타내기

■ 윤지네 반 학생들이 좋아하는 계절을 조사하였습니다. 자료를 보고 표로 나타내어 보세요.

좋아하는 계절

♥ 남학생　♥ 여학생

좋아하는 계절별 학생 수

계절	봄	여름	가을	겨울	합계
학생 수(명)	8	9	6	7	30

좋아하는 계절별 학생 수

계절	봄	여름	가을	겨울	합계
남학생 수(명)	3	5	2	5	15
여학생 수(명)	5	4	4	2	15

■ 석우네 반과 지희네 반 학생들이 배우고 싶은 악기를 조사하였습니다. 자료를 보고 표로 나타내어 보세요.

배우고 싶은 악기

피아노	
기타	
드럼	
바이올린	

● 석우네 반　● 지희네 반

배우고 싶은 악기별 학생 수

악기	피아노	기타	드럼	바이올린	합계
학생 수(명)	12	16	13	9	50

배우고 싶은 악기별 학생 수

악기	피아노	기타	드럼	바이올린	합계
석우네 반 학생 수(명)	6	9	5	5	25
지희네 반 학생 수(명)	6	7	8	4	25

2일차 표 살펴보기

■ 지예네 학교 3학년 남학생과 여학생 수를 표로 나타내었습니다. 빈칸에 알맞은 수를 써 넣으세요.

반별 학생 수

반	1반	2반	3반	4반	합계
남학생 수(명)	10	13	12	13	48
여학생 수(명)	12	10	15	13	50

1반의 남학생은 10 명, 여학생은 12 명입니다.

3반의 남학생은 12 명, 여학생은 15 명입니다.

2반 학생은 모두 23 명입니다.
13+10=23(명)

남학생 수와 여학생 수가 같은 반은 4 반입니다.
13명으로 같습니다.

3학년 전체에서 남학생은 48 명, 여학생은 50 명입니다.

3학년 학생은 모두 98 명입니다.
48+50=98(명)

■ 5월부터 8월까지 전자 제품 가게에서 팔린 에어컨과 제습기의 수를 표로 나타내었습니다. 올바른 말에 ○표, 틀린 말에 ✕표 하세요.

월별 팔린 에어컨과 제습기의 수

월	5월	6월	7월	8월	합계
에어컨(대)	9	14	23	12	58
제습기(대)	8	10	11	18	47

6월에 팔린 에어컨은 14대입니다. ────── (○)

7월에 팔린 제습기는 23대입니다. ────── (✕)
　　　　　　　　　　11대

8월에는 7월보다 에어컨이 더 많이 팔렸습니다. ─ (✕)
7월　8월

5월에 팔린 에어컨과 제습기는 모두 17대입니다. ─ (○)

8월에는 제습기가 에어컨보다 더 많이 팔렸습니다. ─ (○)

5월부터 8월까지 제습기가 에어컨보다 더 많이 팔렸습니다. ── (✕)
에어컨은 제습기보다 58−47=11(대) 더 많이 팔렸습니다.

3일차 표의 내용 (1)

■ 준수네 학교 3학년 학생들이 좋아하는 과일별 남학생과 여학생 수를 표로 나타내었습니다. 물음에 답하세요.

좋아하는 과일별 학생 수

과일	사과	포도	바나나	파인애플	망고	합계
남학생 수(명)	6	10	8	15	14	53
여학생 수(명)	9	14	8	10	12	53

학생 수(명) 　15　 　24　 　16　 　25　 　26　 　106
　　　　　(6+9)　(10+14)　(8+8)　(15+10)　(14+12)　(53+53)

남학생이 가장 많이 좋아하는 과일은 무엇인가요?　　(파인애플)

여학생이 가장 많이 좋아하는 과일은 무엇인가요?　　(포도)

전체 학생들이 가장 많이 좋아하는 과일은 무엇인가요?　　(망고)

망고를 좋아하는 학생이 15명이에요
망고를 좋아하는 학생이 26명으로 가장 많습니다.

전체 학생들이 가장 적게 좋아하는 과일은 무엇인가요?　　(사과)

사과를 좋아하는 학생이 15명으로 가장 적습니다.

■ 인규네 학교 3학년과 4학년 학생들이 가 보고 싶은 체험 학습 장소를 표로 나타내었습니다. 물음에 답하세요.

가 보고 싶은 체험 학습 장소별 학생 수

장소	박물관	동물원	수목원	과학관	합계
3학년 학생 수(명)	13	30	20	22	85
4학년 학생 수(명)	23	18	13	31	85

학생 수(명) 　36　 　48　 　33　 　53　 　170
　　　　　(13+23)　(30+18)　(20+13)　(22+31)　(85+85)

3학년 학생들이 가장 많이 가 보고 싶은 장소부터 차례로 써 보세요.

(동물원 , 과학관 , 수목원 , 박물관)

4학년 학생들이 가장 많이 가 보고 싶은 장소부터 차례로 써 보세요.

(과학관 , 박물관 , 동물원 , 수목원)

3학년과 4학년 학생들이 가장 많이 가 보고 싶은 장소부터 차례로 써 보세요.

(과학관 , 동물원 , 박물관 , 수목원)

4일차 표의 내용 (2)

■ 해송 마을과 푸름 마을에 있는 종류별 나무 수를 표로 나타내었습니다. 물음에 답하세요.

마을에 있는 종류별 나무 수

종류	소나무	느티나무	참나무	은행나무	합계
해송 마을에 있는 나무 수(그루)	15	12	10	8	45
푸름 마을에 있는 나무 수(그루)	7	18	10	15	50

해송 마을보다 푸름 마을에 더 많이 있는 나무를 모두 써 보세요.

(느티나무), (은행나무)

해송 마을에는 푸름 마을보다 소나무가 몇 그루 더 많은가요?

15−7=8(그루)　　(8)그루

푸름 마을에는 해송 마을보다 전체 나무가 몇 그루 더 많은가요?

50−45=5(그루)　　(5)그루

두 마을에 있는 나무는 모두 몇 그루인가요?　　(95)그루

45+50=95(그루)

■ 태희네 학교 3학년 학생들이 좋아하는 운동별 남학생과 여학생 수를 표로 나타내었습니다. 물음에 답하세요.

좋아하는 운동별 학생 수

운동	축구	태권도	줄넘기	배드민턴	합계
남학생 수(명)	22	20	10	13	65
여학생 수(명)	8	17	15	25	65

축구를 좋아하는 남학생은 배드민턴을 좋아하는 남학생보다 몇 명 더 많은가요?　　(9)명

22−13=9(명)

배드민턴을 좋아하는 여학생은 줄넘기를 좋아하는 여학생보다 몇 명 더 많은가요?　　(10)명

25−15=10(명)

태권도를 좋아하는 학생은 모두 몇 명인가요?　　(37)명

20+17=37(명)

전체 학생 중에서 축구를 좋아하는 학생은 줄넘기를 좋아하는 학생보다 몇 명 더 많은가요?　　(5)명

축구: 22+8=30(명), 줄넘기: 10+15=25(명)
30−25=5(명)

5일차 표 완성하기

지우네 반과 현수네 반 학생들을 대상으로 조사한 표입니다. 빈 곳에 알맞은 수를 써넣어 표를 완성해 보세요.

가 보고 싶은 나라별 학생 수

나라	영국	스위스	프랑스	덴마크	합계
지우네 반 학생 수(명)	8	9	5	6	① 28
현수네 반 학생 수(명)	9	5	② 7	4	25

① 8＋9＋5＋6＝28(명)
② 25－9－5－4＝7(명)

좋아하는 간식별 학생 수

간식	초콜릿	젤리	사탕	쿠키	합계
지우네 반 학생 수(명)	① 6	8	7	7	28
현수네 반 학생 수(명)	10	7	3	5	② 25

① 28－8－7－7＝6(명)
② 10＋7＋3＋5＝25(명)

태어난 계절별 학생 수

계절	봄	여름	가을	겨울	합계
지우네 반 학생 수(명)	4	5	① 10	9	28
현수네 반 학생 수(명)	5	6	② 8	6	25

① 28－4－5－9＝10(명)
② 25－5－6－6＝8(명)

주어진 표를 보고 빈 곳에 알맞은 수를 써넣어 표를 완성해 보세요.

학생들이 일주일 동안 읽은 책 수

이름	우현	지안	유나	민성	지혁	합계
책 수(권)	6	12	8	5	10	41

↓

이름	우현	지안	유나	민성	지혁	합계
평일에 읽은 책 수(권)	4	8	3	1	8	24
주말에 읽은 책 수(권)	2	① 4	② 5	③ 4	④ 2	⑤ 17

① 12－8＝4(권)   ② 8－3＝5(권)   ③ 5－1＝4(권)
④ 10－8＝2(권)   ⑤ 41－24＝17(권) 또는 2＋4＋5＋4＋2＝17(권)

받고 싶은 생일 선물별 학생 수

생일 선물	게임기	장난감	인형	자전거	신발	합계
학생 수(명)	15	18	10	9	8	60

↓

생일 선물	게임기	장난감	인형	자전거	신발	합계
남학생 수(명)	12	9	② 3	5	⑤ 2	④ 31
여학생 수(명)	3	① 9	7	③ 4	⑥ 6	29

① 18－9＝9(명)   ② 10－7＝3(명)   ③ 9－5＝4(명)
④ 60－29＝31(명)   ⑤ 31－12－9－3－5＝2(명)
⑥ 8－2＝6(명) 또는 29－3－9－7－4＝6(명)

생각 더하기

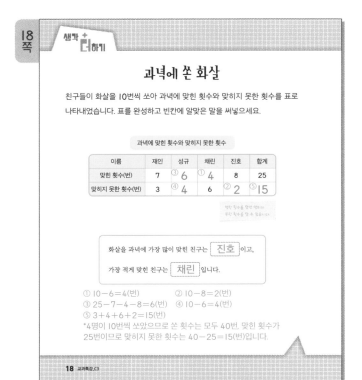

과녁에 쏜 화살

친구들이 화살을 10번씩 쏘아 과녁에 맞힌 횟수와 맞히지 못한 횟수를 표로 나타내었습니다. 표를 완성하고 빈칸에 알맞은 말을 써넣으세요.

과녁에 맞힌 횟수와 맞히지 못한 횟수

이름	재인	성규	채린	진호	합계
맞힌 횟수(번)	7	③ 6	① 4	8	25
맞히지 못한 횟수(번)	3	④ 4	6	② 2	⑤ 15

화살을 과녁에 가장 많이 맞힌 친구는 진호 이고,
가장 적게 맞힌 친구는 채린 입니다.

① 10－6＝4(번)   ② 10－8＝2(번)
③ 25－7－4－8＝6(번)   ④ 10－6＝4(번)
⑤ 3＋4＋6＋2＝15(번)
*4명이 10번씩 쏘았으므로 쏜 횟수는 모두 40번, 맞힌 횟수가 25번이므로 맞히지 못한 횟수는 40－25＝15(번)입니다.

2주차: 그림그래프

1일차 그림그래프 보기

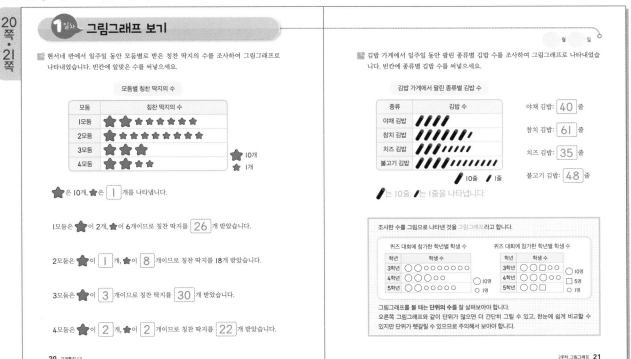

현서네 반에서 일주일 동안 모둠별로 받은 칭찬 딱지의 수를 조사하여 그림그래프로 나타내었습니다. 빈칸에 알맞은 수를 써넣으세요.

모둠별 칭찬 딱지의 수

★은 10개, ☆은 [1]개를 나타냅니다.

1모둠은 ★이 2개, ☆이 6개이므로 칭찬 딱지를 [26]개 받았습니다.

2모둠은 ★이 [1]개, ☆이 [8]개이므로 칭찬 딱지를 18개 받았습니다.

3모둠은 ★이 [3]개이므로 칭찬 딱지를 [30]개 받았습니다.

4모둠은 ★이 [2]개, ☆이 [2]개이므로 칭찬 딱지를 [22]개 받았습니다.

20 교과특강_C3

김밥 가게에서 일주일 동안 팔린 종류별 김밥 수를 조사하여 그림그래프로 나타내었습니다. 빈칸에 종류별 김밥 수를 써넣으세요.

김밥 가게에서 팔린 종류별 김밥 수

야채 김밥 [40]줄
참치 김밥 [61]줄
치즈 김밥 [35]줄
불고기 김밥 [48]줄

╱는 10줄, ╱는 1줄을 나타냅니다.

조사한 수를 그림으로 나타낸 것을 그림그래프라고 합니다.

그림그래프를 볼 때는 **단위의 수**를 잘 살펴보아야 합니다. 오른쪽 그림그래프와 같이 단위가 많으면 더 간단히 그릴 수 있고, 한눈에 쉽게 비교할 수 있지만 단위가 헷갈릴 수 있으므로 주의해서 보아야 합니다.

2주차_그림그래프 21

2일차 표로 나타내기

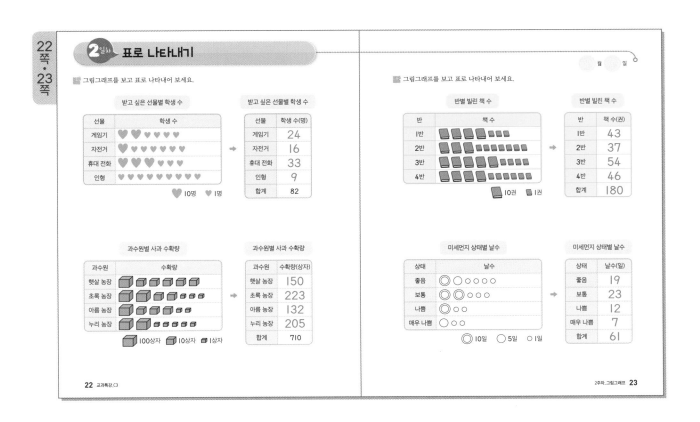

그림그래프를 보고 표로 나타내어 보세요.

받고 싶은 선물별 학생 수

선물	학생 수(명)
게임기	24
자전거	16
휴대 전화	33
인형	9
합계	82

과수원별 사과 수확량

과수원	수확량(상자)
햇살 농장	150
초록 농장	223
아름 농장	132
누리 농장	205
합계	710

그림그래프를 보고 표로 나타내어 보세요.

반별 빌린 책 수

반	책 수(권)
1반	43
2반	37
3반	54
4반	46
합계	180

미세먼지 상태별 날수

상태	날수(일)
좋음	19
보통	23
나쁨	12
매우 나쁨	7
합계	61

22 교과특강_C3

2주차_그림그래프 23

24쪽·25쪽

3일차 그림그래프의 내용 (1)

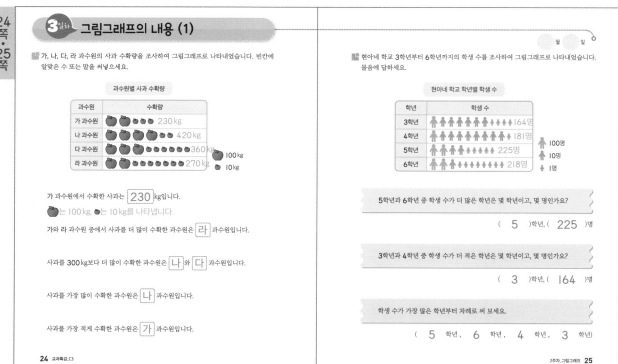

가, 나, 다, 라 과수원의 사과 수확량을 조사하여 그림그래프로 나타내었습니다. 빈칸에 알맞은 수 또는 말을 써넣으세요.

과수원별 사과 수확량

과수원	수확량
가 과수원	230 kg
나 과수원	420 kg
다 과수원	360 kg
라 과수원	270 kg

🍎 100 kg, 🍎 10 kg

가 과수원에서 수확한 사과는 **230** kg입니다.

🍎는 100 kg, 🍎는 10 kg를 나타냅니다.

가와 라 과수원 중에서 사과를 더 많이 수확한 과수원은 **라** 과수원입니다.

사과를 300 kg보다 더 많이 수확한 과수원은 **나** 와 **다** 과수원입니다.

사과를 가장 많이 수확한 과수원은 **나** 과수원입니다.

사과를 가장 적게 수확한 과수원은 **가** 과수원입니다.

현아네 학교 3학년부터 6학년까지의 학생 수를 조사하여 그림그래프로 나타내었습니다. 물음에 답하세요.

현아네 학교 학년별 학생 수

학년	학생 수
3학년	164명
4학년	181명
5학년	225명
6학년	218명

👤 100명, 👤 10명, 👤 1명

5학년과 6학년 중 학생 수가 더 많은 학년은 몇 학년이고, 몇 명인가요?

(**5**)학년, (**225**)명

3학년과 4학년 중 학생 수가 더 적은 학년은 몇 학년이고, 몇 명인가요?

(**3**)학년, (**164**)명

학생 수가 가장 많은 학년부터 차례로 써 보세요.

(**5** 학년, **6** 학년, **4** 학년, **3** 학년)

26쪽·27쪽

4일차 그림그래프의 내용 (2)

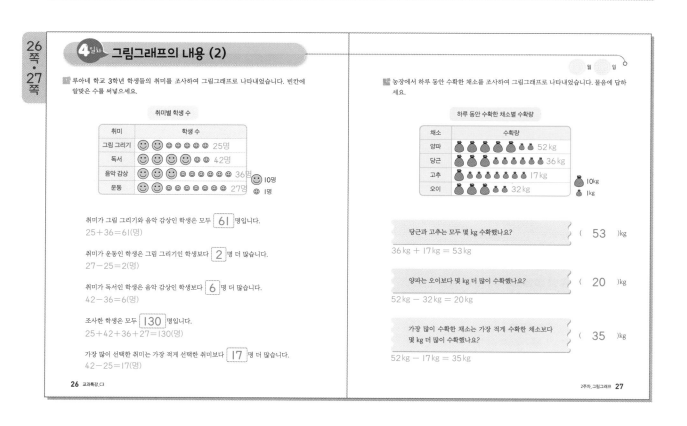

루아네 학교 3학년 학생들의 취미를 조사하여 그림그래프로 나타내었습니다. 빈칸에 알맞은 수를 써넣으세요.

취미별 학생 수

취미	학생 수
그림 그리기	25명
독서	42명
음악 감상	36명
운동	27명

☺ 10명, ☺ 1명

취미가 그림 그리기와 음악 감상인 학생은 모두 **61** 명입니다.
25+36=61(명)

취미가 운동인 학생은 그림 그리기인 학생보다 **2** 명 더 많습니다.
27-25=2(명)

취미가 독서인 학생은 음악 감상인 학생보다 **6** 명 더 많습니다.
42-36=6(명)

조사한 학생은 모두 **130** 명입니다.
25+42+36+27=130(명)

가장 많이 선택한 취미는 가장 적게 선택한 취미보다 **17** 명 더 많습니다.
42-25=17(명)

농장에서 하루 동안 수확한 채소를 조사하여 그림그래프로 나타내었습니다. 물음에 답하세요.

하루 동안 수확한 채소별 수확량

채소	수확량
양파	52 kg
당근	36 kg
고추	17 kg
오이	32 kg

🛍 10 kg, 🛍 1 kg

당근과 고추는 모두 몇 kg 수확했나요?

(**53**)kg

36 kg + 17 kg = 53 kg

양파는 오이보다 몇 kg 더 많이 수확했나요?

(**20**)kg

52 kg − 32 kg = 20 kg

가장 많이 수확한 채소는 가장 적게 수확한 채소보다 몇 kg 더 많이 수확했나요?

(**35**)kg

52 kg − 17 kg = 35 kg

5 일차 여러 가지 그림그래프

일 일

가, 나, 다, 라 마을에 있는 나무와 자동차 수를 조사하여 그림그래프로 나타내었습니다.
올바른 말에 ◯표, 틀린 말에 ✕표 하세요.

[가 마을] 나무: 22그루, 자동차: 24대
[나 마을] 나무: 31그루, 자동차: 17대
[다 마을] 나무: 35그루, 자동차: 40대
[라 마을] 나무: 26그루, 자동차: 23대

마을별 나무와 자동차 수

가 마을	나 마을

다 마을	라 마을

🌳 나무 10그루
🌲 나무 1그루
🚗 자동차 10대
🚙 자동차 1대

가 마을에 있는 자동차는 24대입니다. ────── (◯)

라 마을에 있는 나무는 ~~23그루~~입니다. ────── (✕)
　　　　　　　　　26그루

가와 나 마을 중에서 자동차가 더 많은 마을은 나 마을입니다. ─ (✕)
자동차는 가 마을이 더 많고, 나무는 나 마을이 더 많습니다.

가 마을에 나무를 13그루 더 심으면 다 마을과 나무 수가 같아집니다. ─ (◯)
22+13=35(그루)

네 마을에 있는 자동차는 모두 104대입니다. ────── (◯)
24+17+40+23=104(대)

왼쪽 그림그래프를 보고 물음에 답하세요.

나와 라 마을 중에서 나무가 더 많은 마을은 어느 마을이고, 몇 그루 더
많은가요?

31-26=5(그루)　　　　　　　(나)마을, (5)그루

가와 다 마을 중에서 자동차가 더 많은 마을은 어느 마을이고, 몇 대 더
많은가요?

40-24=16(대)　　　　　　　(다)마을, (16)대

나무가 가장 많은 마을부터 차례로 써 보세요.

(다 마을, 나 마을, 라 마을, 가 마을)

자동차가 가장 많은 마을부터 차례로 써 보세요.

(다 마을, 가 마을, 라 마을, 나 마을)

생각 + 더하기

마을에 사는 사람

가, 나, 다 마을에 사는 남자와 여자 수를 조사하여 그림그래프로 나타내었습니다. 알맞은 말의 기호를 모두 써 보세요.

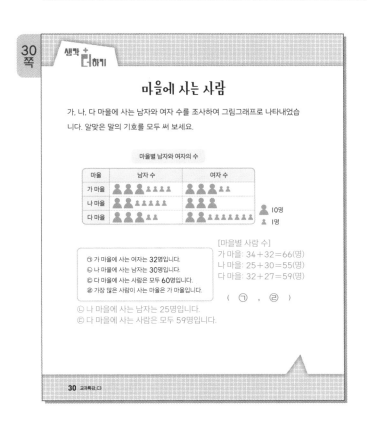

마을별 남자와 여자의 수

마을	남자 수	여자 수
가 마을	👤👤👤👤👤	👤👤👤👤
나 마을	👤👤👤👤👤	👤👤👤
다 마을	👤👤👤👤	👤👤👤👤👤👤👤

👤 10명
👤 1명

⊙ 가 마을에 사는 여자는 32명입니다.
ⓛ 나 마을에 사는 남자는 30명입니다.
ⓒ 다 마을에 사는 사람은 모두 60명입니다.
ⓔ 가장 많은 사람이 사는 마을은 가 마을입니다.

[마을별 사람 수]
가 마을: 34+32=66(명)
나 마을: 25+30=55(명)
다 마을: 32+27=59(명)

(⊙ , ⓔ)

ⓛ 나 마을에 사는 남자는 25명입니다.
ⓒ 다 마을에 사는 사람은 모두 59명입니다.

3주차: 그래프로 나타내기

1일차 자료 보기

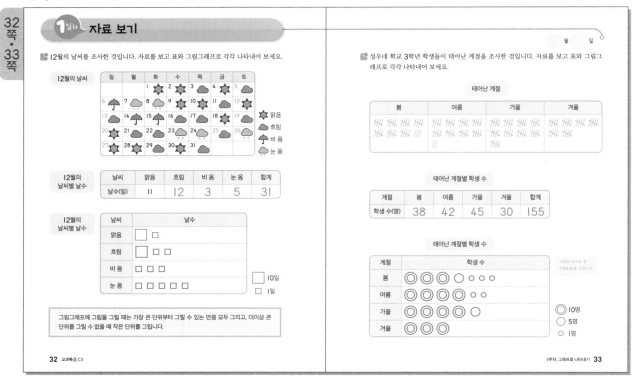

■ 12월의 날씨를 조사한 것입니다. 자료를 보고 표와 그림그래프로 각각 나타내어 보세요.

12월의 날씨별 날수

날씨	맑음	흐림	비 옴	눈 옴	합계
날수(일)	11	12	3	5	31

그림그래프에 그림을 그릴 때는 가장 큰 단위부터 그릴 수 있는 만큼 모두 그리고, 더이상 큰 단위를 그릴 수 없을 때 작은 단위를 그립니다.

■ 성우네 학교 3학년 학생들이 태어난 계절을 조사한 것입니다. 자료를 보고 표와 그림그래프로 각각 나타내어 보세요.

태어난 계절별 학생 수

계절	봄	여름	가을	겨울	합계
학생 수(명)	38	42	45	30	155

2일차 표와 그래프 (1)

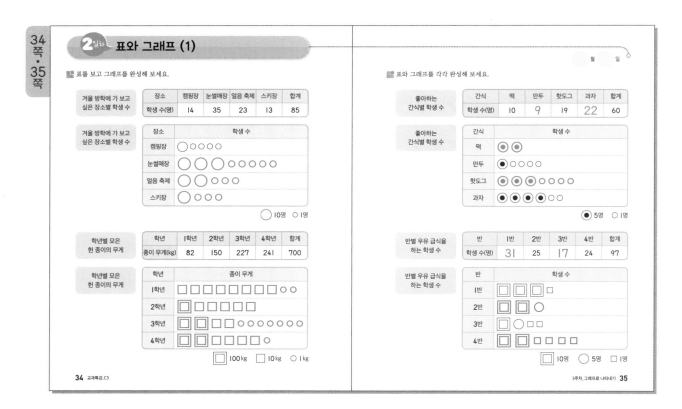

■ 표를 보고 그래프를 완성해 보세요.

겨울 방학에 가 보고 싶은 장소별 학생 수

장소	캠핑장	눈썰매장	얼음 축제	스키장	합계
학생 수(명)	14	35	23	13	85

학년별 모은 헌 종이의 무게

학년	1학년	2학년	3학년	4학년	합계
종이 무게(kg)	82	150	227	241	700

■ 표와 그래프를 각각 완성해 보세요.

좋아하는 간식별 학생 수

간식	떡	만두	핫도그	과자	합계
학생 수(명)	10	9	19	22	60

반별 우유 급식을 하는 학생 수

반	1반	2반	3반	4반	합계
학생 수(명)	31	25	17	24	97

3일차 표와 그래프 (2)

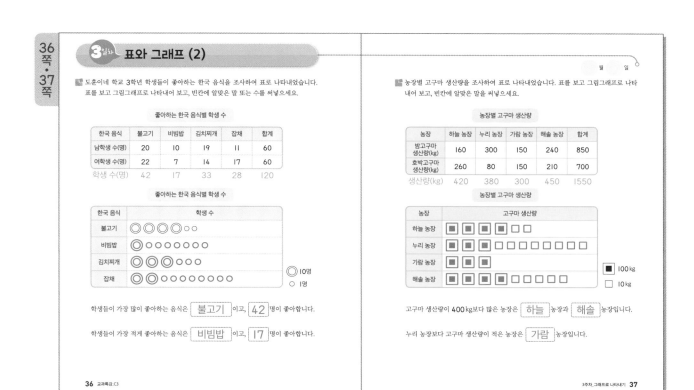

도훈이네 학교 3학년 학생들이 좋아하는 한국 음식을 조사하여 표로 나타내었습니다. 표를 보고 그림그래프로 나타내어 보고, 빈칸에 알맞은 말 또는 수를 써넣으세요.

좋아하는 한국 음식별 학생 수

한국 음식	불고기	비빔밥	김치찌개	잡채	합계
남학생 수(명)	20	10	19	11	60
여학생 수(명)	22	7	14	17	60
학생 수(명)	42	17	33	28	120

좋아하는 한국 음식별 학생 수

한국 음식	학생 수
불고기	◎◎◎◎○○
비빔밥	◎○○○○○○
김치찌개	◎◎◎○○○
잡채	◎◎○○○○○○○○

◎ 10명
○ 1명

학생들이 가장 많이 좋아하는 음식은 **불고기** 이고, **42** 명이 좋아합니다.

학생들이 가장 적게 좋아하는 음식은 **비빔밥** 이고, **17** 명이 좋아합니다.

농장별 고구마 생산량을 조사하여 표로 나타내었습니다. 표를 보고 그림그래프로 나타내어 보고, 빈칸에 알맞은 말을 써넣으세요.

농장별 고구마 생산량

농장	하늘 농장	누리 농장	가람 농장	해솔 농장	합계
밤고구마 생산량(kg)	160	300	150	240	850
호박고구마 생산량(kg)	260	80	150	210	700
생산량(kg)	420	380	300	450	1550

농장별 고구마 생산량

농장	고구마 생산량
하늘 농장	■■■■□□
누리 농장	■■■□□□□□□□
가람 농장	■■■
해솔 농장	■■■■■□□□□□

■ 100 kg
□ 10 kg

고구마 생산량이 400 kg보다 많은 농장은 **하늘** 농장과 **해솔** 농장입니다.

누리 농장보다 고구마 생산량이 적은 농장은 **가람** 농장입니다.

4일차 그래프의 단위

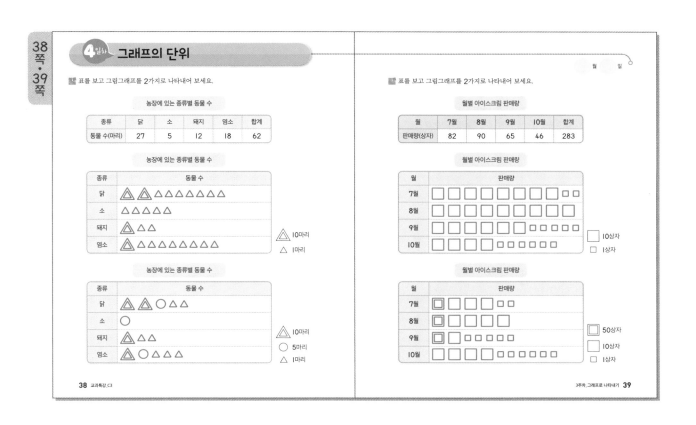

표를 보고 그림그래프를 2가지로 나타내어 보세요.

농장에 있는 종류별 동물 수

종류	닭	소	돼지	염소	합계
동물 수(마리)	27	5	12	18	62

농장에 있는 종류별 동물 수

종류	동물 수
닭	▲▲△△△△△△△
소	△△△△△
돼지	▲△△
염소	▲△△△△△△△△

▲ 10마리
△ 1마리

농장에 있는 종류별 동물 수

종류	동물 수
닭	▲▲○△△
소	○
돼지	▲△△
염소	▲○△△△

▲ 10마리
○ 5마리
△ 1마리

표를 보고 그림그래프를 2가지로 나타내어 보세요.

월별 아이스크림 판매량

월	7월	8월	9월	10월	합계
판매량(상자)	82	90	65	46	283

월별 아이스크림 판매량

월	판매량
7월	□□□□□□□□▫▫
8월	□□□□□□□□□
9월	□□□□□□▫▫▫▫▫
10월	□□□□▫▫▫▫▫▫

□ 10상자
▫ 1상자

월별 아이스크림 판매량

월	판매량
7월	▣□▫▫
8월	▣▫▫▫▫
9월	▣□▫▫▫▫▫
10월	□▫▫▫▫▫▫

▣ 50상자
□ 10상자
▫ 1상자

5일차 단위 바꾸기

그림그래프를 주어진 단위 수로 바꾸어 나타내어 보세요.

그림그래프를 주어진 단위 수로 바꾸어 나타내어 보세요.

월 일

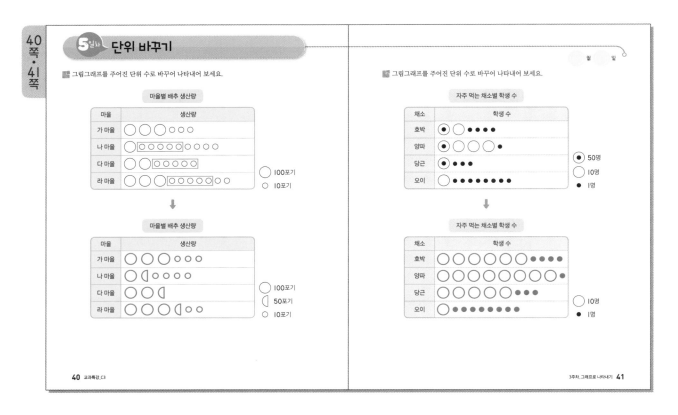

생각 + 더하기

좋아하는 치킨

윤아네 학교 학생들이 좋아하는 치킨 종류를 조사하여 표로 나타내었습니다.
표를 보고 적절한 그림과 단위의 수를 정하여 그림그래프로 나타내어 보세요.

좋아하는 치킨 종류별 학생 수

종류	프라이드	양념	간장	합계
학생 수(명)	252	325	303	880

예

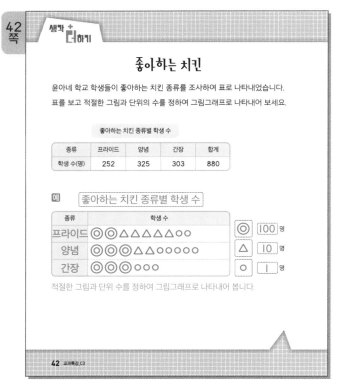

적절한 그림과 단위 수를 정하여 그림그래프로 나타내어 봅니다.

4주차: 조건과 그래프

44 쪽 · 45 쪽

1일차 단위 찾기

월 일

목장별 우유 생산량을 조사하였습니다. 표와 그림그래프를 보고 빈칸에 알맞은 수를 써넣고 그림그래프를 완성해 보세요.

수현이네 반에서 일주일 동안 모둠별로 받은 칭찬 스티커의 수를 조사하였습니다. 표와 그림그래프를 보고 빈칸에 알맞은 수를 써넣고 그림그래프를 완성해 보세요.

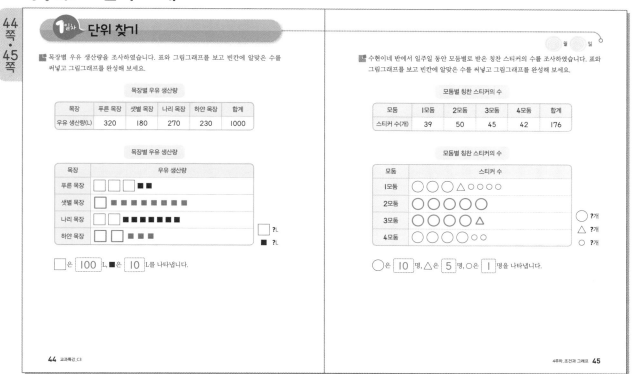

목장별 우유 생산량

목장	푸른 목장	샛별 목장	나리 목장	하얀 목장	합계
우유 생산량(L)	320	180	270	230	1000

목장별 우유 생산량

목장	우유 생산량
푸른 목장	□□□ ■■
샛별 목장	□ ■■■■■■■■
나리 목장	□ ■■■■■■■
하얀 목장	□□ ■■■

□ **?L**
■ **?L**

□은 100 L, ■은 10 L를 나타냅니다.

모둠별 칭찬 스티커의 수

모둠	1모둠	2모둠	3모둠	4모둠	합계
스티커 수(개)	39	50	45	42	176

모둠별 칭찬 스티커의 수

모둠	스티커 수
1모둠	○○○△○○○○
2모둠	○○○○○
3모둠	○○○○△
4모둠	○○○○△○○

○ **?개**
△ **?개**
○ **?개**

○은 10 명, △은 5 명, ○은 1 명을 나타냅니다.

---

46 쪽 · 47 쪽

2일차 표와 그래프 완성하기

월 일

하루 동안 햄버거 가게에서 팔린 종류별 햄버거 수를 조사하였습니다. 표와 그림그래프를 완성하고 빈칸에 알맞은 말을 써넣으세요.

학교 체육관에 있는 종류별 공의 수를 조사하였습니다. 표와 그림그래프를 완성하고 빈칸에 알맞은 말을 써넣으세요.

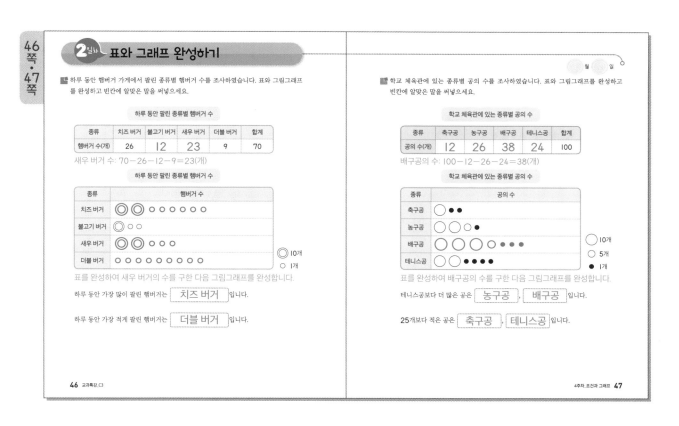

하루 동안 팔린 종류별 햄버거 수

종류	치즈 버거	불고기 버거	새우 버거	더블 버거	합계
햄버거 수(개)	26	12	23	9	70

새우 버거 수: 70−26−12−9=23(개)

하루 동안 팔린 종류별 햄버거 수

종류	햄버거 수
치즈 버거	◎◎○○○○○○
불고기 버거	◎○○
새우 버거	◎◎○○○
더블 버거	○○○○○○○○○

◎ 10개
○ 1개

표를 완성하여 새우 버거의 수를 구한 다음 그림그래프를 완성합니다.

하루 동안 가장 많이 팔린 햄버거는 치즈 버거 입니다.

하루 동안 가장 적게 팔린 햄버거는 더블 버거 입니다.

학교 체육관에 있는 종류별 공의 수

종류	축구공	농구공	배구공	테니스공	합계
공의 수(개)	12	26	38	24	100

배구공의 수: 100−12−26−24=38(개)

학교 체육관에 있는 종류별 공의 수

종류	공의 수
축구공	○●●
농구공	○○●●
배구공	○○○●●●
테니스공	○○●●●●

○ 10개
○ 5개
● 1개

표를 완성하여 배구공의 수를 구한 다음 그림그래프를 완성합니다.

테니스공보다 더 많은 공은 농구공 , 배구공 입니다.

25개보다 적은 공은 축구공 , 테니스공 입니다.

48쪽·49쪽

3일차 그래프 완성하기

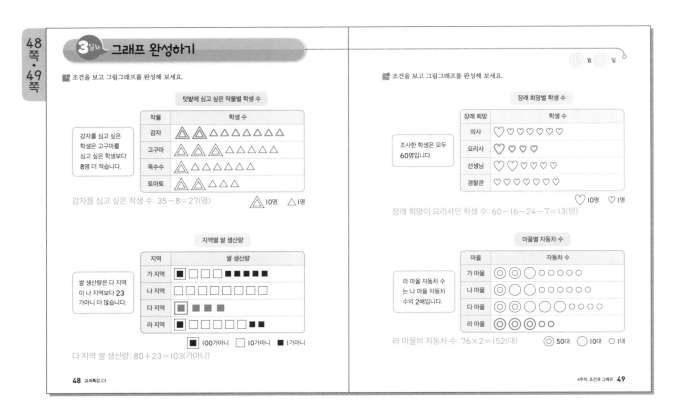

조건을 보고 그림그래프를 완성해 보세요.

텃밭에 심고 싶은 작물별 학생 수

작물	학생 수
감자	△△△△△△△△△
고구마	△△△△△△△△
옥수수	△△△△△△
토마토	△△△△

감자를 심고 싶은 학생은 고구마를 심고 싶은 학생보다 8명 더 적습니다.

감자를 심고 싶은 학생 수: 35−8=27(명)   △ 10명 △ 1명

조건을 보고 그림그래프를 완성해 보세요.

장래 희망별 학생 수

장래 희망	학생 수
의사	♡♡♡♡♡♡
요리사	♡♡♡♡
선생님	♡♡♡♡♡
경찰관	♡♡♡♡♡

조사한 학생은 모두 60명입니다.

♡ 10명 ♡ 1명

장래 희망이 요리사인 학생 수: 60−16−24−7=13(명)

지역별 쌀 생산량

지역	쌀 생산량
가 지역	■□□□■■■■■
나 지역	□□□□□□□
다 지역	■■■■
라 지역	■□□□□□□■■

쌀 생산량은 다 지역이 나 지역보다 23 가마니 더 많습니다.

■ 100가마니 □ 10가마니 ■ 1가마니

다 지역 쌀 생산량: 80+23=103(가마니)

마을별 자동차 수

마을	자동차 수
가 마을	◎◎○○○○○○
나 마을	◎○○○○○○○
다 마을	◎○○○○○○○○
라 마을	◎◎◎○○

라 마을 자동차 수는 나 마을 자동차 수의 2배입니다.

◎ 50대 ○ 10대 ○ 1대

라 마을의 자동차 수: 76×2=152(대)

48 교과특강_C3

4주차_조건과 그래프 49

50쪽·51쪽

4일차 조건과 그래프 (1)

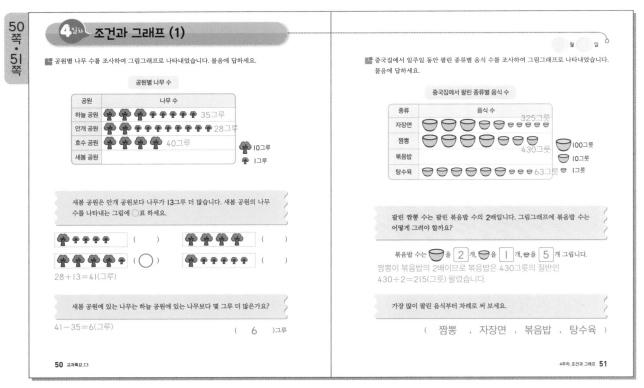

공원별 나무 수를 조사하여 그림그래프로 나타내었습니다. 물음에 답하세요.

공원별 나무 수

공원	나무 수
하늘 공원	🌳🌳🌳🌳🌳 35그루
안개 공원	🌳🌳🌳🌳🌳🌳🌳🌳 28그루
호수 공원	🌳🌳🌳🌳 40그루
새봄 공원	

🌳 10그루 🌳 1그루

새봄 공원은 안개 공원보다 나무가 13그루 더 많습니다. 새봄 공원의 나무 수를 나타내는 그림에 ○표 하세요.

| 🌳🌳🌳🌳 | ( ) | | 🌳🌳🌳🌳 | ( ) |
| 🌳🌳🌳🌳🌳 | (○) | | 🌳🌳🌳🌳🌳🌳🌳 | ( ) |

28+13=41(그루)

새봄 공원에 있는 나무는 하늘 공원에 있는 나무보다 몇 그루 더 많은가요?

41−35=6(그루)
(6)그루

중국집에서 일주일 동안 팔린 종류별 음식 수를 조사하여 그림그래프로 나타내었습니다. 물음에 답하세요.

중국집에서 팔린 종류별 음식 수

종류	음식 수
자장면	🥣🥣🥣🥣🥣🥣 325그릇
짬뽕	🥣🥣🥣🥣🥣🥣🥣🥣
볶음밥	430그릇
탕수육	🥣🥣🥣🥣🥣🥣 63그릇

🥣 100그릇 🥣 10그릇 🥣 1그릇

팔린 짬뽕 수는 팔린 볶음밥 수의 2배입니다. 그림그래프에 볶음밥 수는 어떻게 그려야 할까요?

볶음밥 수는 🥣을 2 개, 🥣을 1 개, 🥣을 5 개 그립니다.
짬뽕이 볶음밥의 2배이므로 볶음밥은 430그릇의 절반인
430÷2=215(그릇) 팔렸습니다.

가장 많이 팔린 음식부터 차례로 써 보세요.

(짬뽕 , 자장면 , 볶음밥 , 탕수육)

50 교과특강_C3

4주차_조건과 그래프 51

12 교과특강_C3

5일차 **조건과 그래프 (2)**

📘 계절별로 비 온 날수를 조사하여 그림그래프로 나타내었습니다. 물음에 답하세요.

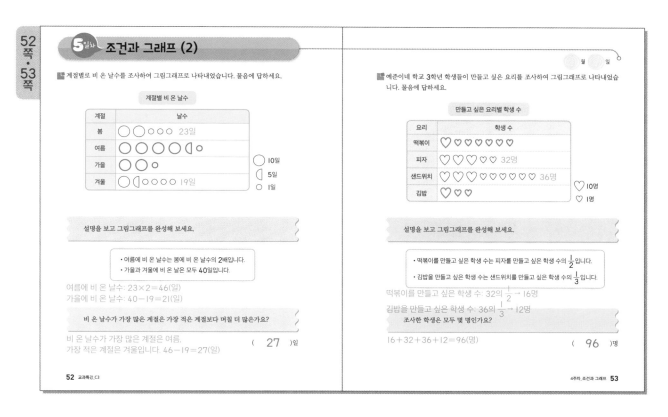

계절별 비 온 날수

계절	날수
봄	◯◯◯◯◯ 23일
여름	◯◯◯◯◯◯◯
가을	◯◯◯
겨울	◯◯◯◯◯◯ 19일

◯ 10일
◖ 5일
◯ 1일

설명을 보고 그림그래프를 완성해 보세요.

· 여름에 비 온 날수는 봄에 비 온 날수의 2배입니다.
· 가을과 겨울에 비 온 날은 모두 40일입니다.

여름에 비 온 날수: 23×2=46(일)
가을에 비 온 날수: 40−19=21(일)

비 온 날수가 가장 많은 계절은 가장 적은 계절보다 며칠 더 많은가요?

비 온 날수가 가장 많은 계절은 여름,
가장 적은 계절은 겨울입니다. 46−19=27(일)   (27)일

52 교과특강_C3

📘 예준이네 학교 3학년 학생들이 만들고 싶은 요리를 조사하여 그림그래프로 나타내었습니다. 물음에 답하세요.

만들고 싶은 요리별 학생 수

요리	학생 수
떡볶이	♡♡♡♡♡♡
피자	♡♡♡♡♡ 32명
샌드위치	♡♡♡♡♡♡♡♡♡ 36명
김밥	♡♡♡

♡ 10명
♡ 1명

설명을 보고 그림그래프를 완성해 보세요.

· 떡볶이를 만들고 싶은 학생 수는 피자를 만들고 싶은 학생 수의 $\frac{1}{2}$입니다.
· 김밥을 만들고 싶은 학생 수는 샌드위치를 만들고 싶은 학생 수의 $\frac{1}{3}$입니다.

떡볶이를 만들고 싶은 학생 수: 32의 $\frac{1}{2}$ → 16명
김밥을 만들고 싶은 학생 수: 36의 $\frac{1}{3}$ → 12명

조사한 학생은 모두 몇 명인가요?

16+32+36+12=96(명)   (96)명

4주차_조건과 그래프 53

생각 + 더하기

좋아하는 과목

세희네 학교 3학년 학생들이 좋아하는 과목을 조사하였습니다. 조건을 보고 그림그래프로 나타내어 보세요.

· 조사한 학생은 모두 100명입니다.
· 수학을 좋아하는 학생은 27명입니다.
· 국어를 좋아하는 학생 수는 수학을 좋아하는 학생 수의 $\frac{2}{3}$입니다.
· 사회를 좋아하는 학생은 30명입니다.

좋아하는 과목별 학생 수

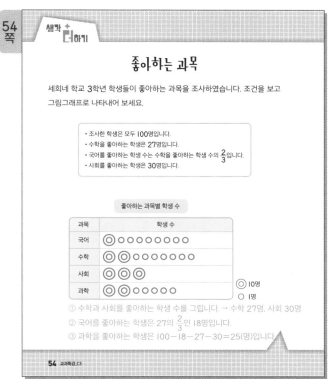

과목	학생 수
국어	◎◯◯◯◯◯◯◯◯
수학	◎◎◯◯◯◯◯◯◯
사회	◎◎◎
과학	◎◎◯◯◯◯◯

◎ 10명
◯ 1명

① 수학과 사회를 좋아하는 학생 수를 그립니다. → 수학 27명, 사회 30명
② 국어를 좋아하는 학생은 27의 $\frac{2}{3}$인 18명입니다.
③ 과학을 좋아하는 학생은 100−18−27−30=25(명)입니다.

54 교과특강_C3

정답

링크: 2가지 기준

56쪽·57쪽

LINK 1 표 살펴보기

월 일

선우네 반과 다희네 반의 남학생과 여학생 수를 표로 나타내었습니다. 빈칸에 알맞은 수를 써넣으세요.

반별 학생 수

반	선우네 반	다희네 반	합계
남학생 수(명)	① 13	③ 11	24
여학생 수(명)	② 12	④ 15	27
합계(명)	⑤ 25	⑥ 26	⑦ 51

> 표의 가로와 세로의 나타내는 것이 무엇 인지 정확하게 파악해요.

선우네 반의 남학생은 ① 13 명, 여학생은 ② 12 명입니다.

다희네 반의 남학생은 ③ 11 명, 여학생은 ④ 15 명입니다.

선우네 반의 학생은 모두 ⑤ 25 명입니다.

다희네 반의 학생은 모두 ⑥ 26 명입니다.

다희네 반은 선우네 반보다 학생이 1 명 더 많습니다.
26−25=1(명)

두 반의 학생 수를 더하면 모두 ⑦ 51 명입니다.

56 교과특강_C3

수학과 과학 퀴즈 대회에서 지수와 건호가 받은 점수를 표로 나타내었습니다. 빈칸에 알맞은 수를 써넣으세요.

퀴즈 대회에서 받은 점수

퀴즈 대회	수학 퀴즈	과학 퀴즈	합계
지수의 점수(점)	80	① 75	⑤ 155
건호의 점수(점)	③ 90	④ 70	⑥ 160
합계(점)	170	145	315

지수는 수학 퀴즈에서 ① 80 점, 과학 퀴즈에서 ② 75 점을 받았습니다.

건호는 수학 퀴즈에서 ③ 90 점, 과학 퀴즈에서 ④ 70 점을 받았습니다.

퀴즈 대회에서 지수가 받은 점수는 모두 ⑤ 155 점입니다.

퀴즈 대회에서 건호가 받은 점수는 모두 ⑥ 160 점입니다.

퀴즈 대회에서 건호는 지수보다 5 점 더 많이 받았습니다.
160−155=5(점)

퀴즈 대회에서 두 학생이 받은 점수를 더하면 모두 ⑦ 315 점입니다.

링크_2가지 기준 57

58쪽·59쪽

LINK 2 표 완성하기

월 일

빈 곳에 알맞은 수를 써넣어 표를 완성해 보세요.

연우네 반 학생들이 좋아하는 음식별 학생 수

음식	한국 음식	외국 음식	합계
남학생 수(명)	9	7	16
여학생 수(명)	6	8	14
합계(명)	15	15	30

→ 6+8=14(명)
→ 15+15=30(명)
7+8=15(명)

신발 가게에서 팔린 월별 신발 수

월	8월	9월	합계
운동화 수(켤레)	25	20	45
슬리퍼 수(켤레)	19	23	42
합계(켤레)	44	43	87

→ 25+20=45(켤레)
→ 19+23=42(켤레)
25+19=44(켤레)   20+23=43(켤레)

과수원별 과일 수확량

과수원	싱싱 과수원	으뜸 과수원	합계
사과 수확량(kg)	80	120	200
배 수확량(kg)	100	50	150
합계(kg)	180	170	350

→ 80+120=200(kg)
→ 100+50=150(kg)
→ 180+170=350(kg)
80+100=180(kg)   120+50=170(kg)

58 교과특강_C3

빈 곳에 알맞은 수를 써넣어 표를 완성해 보세요.

수호네 반 학생들이 좋아하는 활동별 학생 수

① 13−5=8(명)
② 12−3=9(명)

활동	실내 활동	실외 활동	합계
남학생 수(명)	5	① 8	13
여학생 수(명)	② 9	3	12
합계(명)	14	11	25

농장별 동물 수

① 39−26=13(마리)
② 41−8=33(마리)
③ 13+33=46(마리)

농장	해들 농장	누리 농장	합계
소의 수(마리)	26	8	34
돼지의 수(마리)	① 13	② 33	③ 46
합계(마리)	39	41	80

마을에 있는 종류별 탈 것 수

① 60−25=35(대)
② 52−38=14(대)
③ 35+14=49(대)
④ 63+49=112(대)

마을	미소 마을	도담 마을	합계
자동차 수(대)	25	① 35	60
자전거 수(대)	38	② 14	52
합계(대)	63	③ 49	④ 112

링크_2가지 기준 59

LINK 3 표의 내용

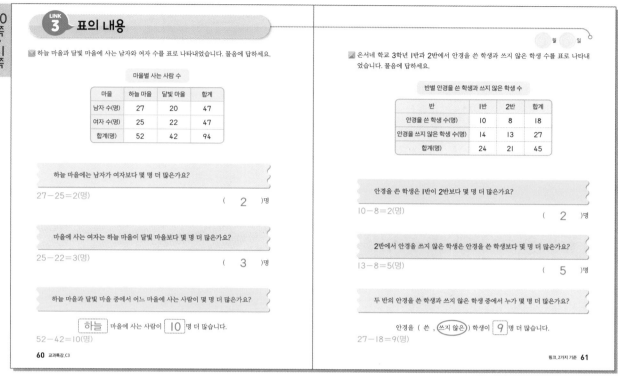

하늘 마을과 달빛 마을에 사는 남자와 여자 수를 표로 나타내었습니다. 물음에 답하세요.

마을별 사는 사람 수

마을	하늘 마을	달빛 마을	합계
남자 수(명)	27	20	47
여자 수(명)	25	22	47
합계(명)	52	42	94

하늘 마을에는 남자가 여자보다 몇 명 더 많은가요?

27−25=2(명)

(2)명

마을에 사는 여자는 하늘 마을이 달빛 마을보다 몇 명 더 많은가요?

25−22=3(명)

(3)명

하늘 마을과 달빛 마을 중에서 어느 마을에 사는 사람이 몇 명 더 많은가요?

하늘 마을에 사는 사람이 10 명 더 많습니다.

52−42=10(명)

온서네 학교 3학년 1반과 2반에서 안경을 쓴 학생과 쓰지 않은 학생 수를 표로 나타내었습니다. 물음에 답하세요.

반별 안경을 쓴 학생과 쓰지 않은 학생 수

반	1반	2반	합계
안경을 쓴 학생 수(명)	10	8	18
안경을 쓰지 않은 학생 수(명)	14	13	27
합계(명)	24	21	45

안경을 쓴 학생은 1반이 2반보다 몇 명 더 많은가요?

10−8=2(명)

(2)명

2반에서 안경을 쓰지 않은 학생은 안경을 쓴 학생보다 몇 명 더 많은가요?

13−8=5(명)

(5)명

두 반의 안경을 쓴 학생과 쓰지 않은 학생 중에서 누가 몇 명 더 많은가요?

안경을 (쓴 , 쓰지 않은) 학생이 9 명 더 많습니다.

27−18=9(명)

형성평가

···· 형성평가 **1**회 ····

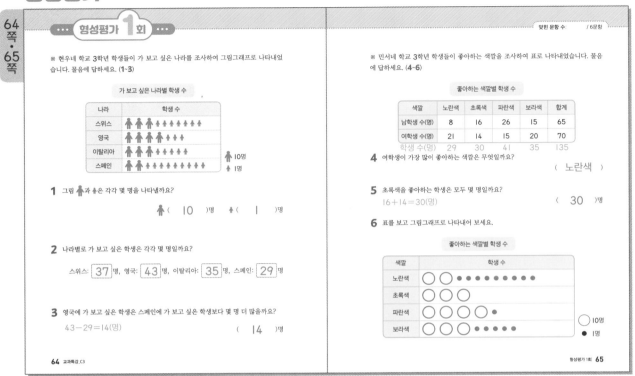

※ 현우네 학교 3학년 학생들이 가 보고 싶은 나라를 조사하여 그림그래프로 나타내었습니다. 물음에 답하세요. (1-3)

가 보고 싶은 나라별 학생 수

나라	학생 수
스위스	
영국	
이탈리아	
스페인	

10명
1명

1 그림 과 은 각각 몇 명을 나타낼까요?

(10)명 (1)명

2 나라별로 가 보고 싶은 학생은 각각 몇 명일까요?

스위스: 37 명, 영국: 43 명, 이탈리아: 35 명, 스페인: 29 명

3 영국에 가 보고 싶은 학생은 스페인에 가 보고 싶은 학생보다 몇 명 더 많을까요?
43−29=14(명)

(14)명

※ 민서네 학교 3학년 학생들이 좋아하는 색깔을 조사하여 표로 나타내었습니다. 물음에 답하세요. (4-6)

좋아하는 색깔별 학생 수

색깔	노란색	초록색	파란색	보라색	합계
남학생 수(명)	8	16	26	15	65
여학생 수(명)	21	14	15	20	70
학생 수(명)	29	30	41	35	135

4 여학생이 가장 많이 좋아하는 색깔은 무엇일까요?

(노란색)

5 초록색을 좋아하는 학생은 모두 몇 명일까요?
16+14=30(명)

(30)명

6 표를 보고 그림그래프로 나타내어 보세요.

좋아하는 색깔별 학생 수

색깔	학생 수
노란색	
초록색	
파란색	
보라색	

10명
1명

···· 형성평가 **2**회 ····

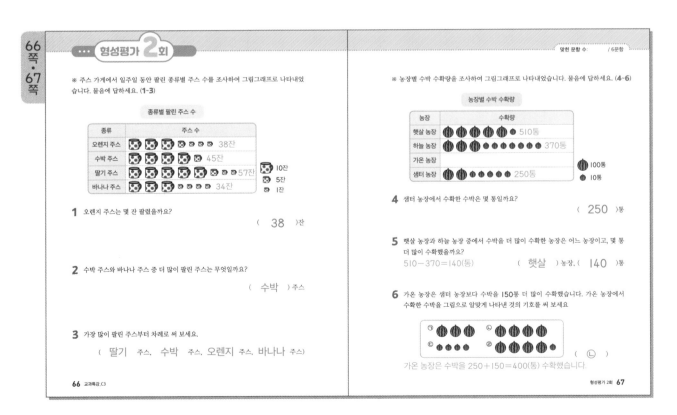

※ 주스 가게에서 일주일 동안 팔린 종류별 주스 수를 조사하여 그림그래프로 나타내었습니다. 물음에 답하세요. (1-3)

종류별 팔린 주스 수

종류	주스 수
오렌지 주스	38잔
수박 주스	45잔
딸기 주스	57잔
바나나 주스	34잔

10잔
5잔
1잔

1 오렌지 주스는 몇 잔 팔렸을까요?

(38)잔

2 수박 주스와 바나나 주스 중 더 많이 팔린 주스는 무엇일까요?

(수박)주스

3 가장 많이 팔린 주스부터 차례로 써 보세요.

(딸기 주스, 수박 주스, 오렌지 주스, 바나나 주스)

※ 농장별 수박 수확량을 조사하여 그림그래프로 나타내었습니다. 물음에 답하세요. (4-6)

농장별 수박 수확량

농장	수확량
햇살 농장	510통
하늘 농장	370통
가온 농장	
샘터 농장	250통

100통
10통

4 샘터 농장에서 수확한 수박은 몇 통일까요?

(250)통

5 햇살 농장과 하늘 농장 중에서 수박을 더 많이 수확한 농장은 어느 농장이고, 몇 통 더 많이 수확했을까요?
510−370=140(통)

(햇살)농장, (140)통

6 가온 농장은 샘터 농장보다 수박을 150통 더 많이 수확했습니다. 가온 농장에서 수확한 수박을 그림으로 알맞게 나타낸 것의 기호를 써 보세요

⊙ ⓒ
ⓒ ⓔ

(ⓒ)

가온 농장은 수박을 250+150=400(통) 수확했습니다.

"교과수학을 완성합니다."

수와 도형의 배열에서 규칙을 찾아
사고력을 기릅니다.

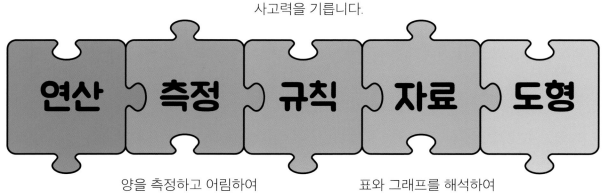

연산   측정   규칙   자료   도형

양을 측정하고 어림하여
실생활의 수 감각을 기릅니다.

표와 그래프를 해석하여
추론능력을 기릅니다.